Jeunesse

L'ÉTOILE D'INDIGO

Hilary McKay

L'ÉTOILE D'INDIGO

Traduit de l'anglais
par Laurence Kiéfé

HACHETTE
Jeunesse

Qui est l'auteur ?

Hilary McKay a remporté le prix Whitbread pour la littérature jeunesse. Née à Boston, en Angleterre, où elle a grandi, elle a étudié la botanique et la zoologie à l'université de Saint-Andrew... avant de s'orienter vers la langue anglaise, qui lui donne envie d'écrire. Hilary McKay consacre désormais tout son temps à l'écriture de romans.

L'édition originale
de cet ouvrage a été publiée
par Hodder Children's Books en 2003
sous le titre :
INDIGO'S STAR.

Pour Rachel Kearsey qui sera toujours une étoile
Avec toute l'affection de Hilary McKay

1

Pour la première fois de sa vie, Indigo Casson était tombé sérieusement malade. Il avait d'abord attrapé la grippe et, au lieu de guérir, la maladie s'était transformée en mononucléose infectieuse.

— Une mononucléose infectieuse ? s'exclamèrent, incrédules, ses camarades de classe. Ça serait pas plutôt une trouille infecte ?

Quelque part, dans un coin de sa tête, Indigo se posait la même question. Cependant, c'était vraiment une mononucléose infectieuse. Très vite, il se retrouva gravement malade. Mais, même au pic de sa maladie, une partie d'Indigo poussait des soupirs de soulagement. Une partie de lui pensait : Ouf !

Au début, c'était passionnant pour la famille, cette grave maladie d'Indigo. Celui qui demandait à n'importe lequel des Casson, « Comment va Indigo ? » avait droit à une longue réponse. Bien trop longue, assortie de nombreux détails dont la plupart des gens se seraient volontiers passés.

Heureusement, cette étape ne dura pas très longtemps. La maladie d'Indigo cessa de faire partie des nouveautés pour devenir le quotidien. Lorsque les gens demandaient « Comment va Indigo ? », la famille répondait, « Ça va » avant de passer à des sujets de conversation plus intéressants. Ils n'étaient nullement indifférents à son sort, mais il n'y avait rien de particulier à en dire. Et puis, par rapport à l'état dans lequel il avait été, Indigo allait bien. Il pouvait à nouveau monter et descendre l'escalier. Il pouvait manger. Il ne s'évanouissait plus à tout bout de champ. Il allait bien.

En attendant, Indigo avait manqué l'école tout un trimestre et il avait énormément grandi et minci. Il passait beaucoup de temps seul. Dans la journée, la maison était très tranquille. Caddy, sa grande sœur, était partie à l'université. Rose, huit ans, et Safran (sa sœur adoptive) allaient en classe. Son père et sa mère, artistes tous les deux, étaient pris par leur travail, son père à Londres et sa mère dans sa cabane au fond du jardin. Tout était paisible, mais Indigo se sentait parfois bizarre. Comme si, à force d'être seul, il devenait invisible. Une fois, il s'était regardé dans le miroir en se faisant un sourire : « Toujours là ! », avait-il dit.

Certains jours, Safran lui rapportait du travail scolaire. À d'autres moments, Indigo lisait ou regardait la télévision. Mais, des heures et des heures durant, surtout au début de sa convalescence, sa seule activité consistait à contempler rêveusement le ciel, allongé sur son lit. Il aimait particulièrement les journées limpides, lorsque les avions traversaient l'azur en déployant derrière eux les bannières blanches de leurs sillage. Indigo les imaginait, ces avions, remplis de gens qu'il ne connaissait pas, se rendant dans des endroits qu'il n'avait jamais vus. Même quand les avions volaient trop haut pour qu'on les vît, leur sillage inscrivait leur trajet dans le ciel.

Indigo se disait qu'avant de tomber malade, il avait déjà voyagé tout seul. Pas en avion, mais il avait voyagé quand même. Il avait voyagé à travers les jours, les semaines et les années du temps.

Vers la fin, le voyage d'Indigo était devenu des plus désagréables.

Ce fut Rose qui mit un terme à cette période d'invisibilité paisible. Rose avait l'habitude de se précipiter sur le téléphone à la première sonnerie. Un jour, elle se précipita donc. C'était son père, Bill Casson, qui appelait de Londres. Loin, bien loin, dans son atelier immaculé, Bill Casson entendit une série de coups. Boum, boum, boum, suivis d'un bruit sourd.

— Mais, bon sang, qu'est-ce que j'entends, là ? demanda-t-il.

— Indigo, répondit Rose.

— Mais qu'est-ce qui lui est arrivé ? Il s'est fait mal ?

— Il a simplement sauté en bas de l'escalier.

— Sauté en bas de l'escalier ?
— Oui.
— Sauté ?
— Oui.
— Alors, il doit aller mieux, constata Bill.

Lorsque Rose rapporta cette conversation, tout le monde se touna vers Indigo. C'était vrai. Il allait mieux. Sans que personne le remarque, sans qu'il le remarque lui-même, il s'était rétabli. Son voyage à travers les jours, les semaines et les années n'allait pas tarder à reprendre. Indigo se souvenait à peine de l'endroit où il se rendait lors de ces lointaines journées, quand il mesurait quinze centimètres de moins.

Ève, la mère d'Indigo, dit d'un ton joyeux :
— Tu vas mieux, Indigo mon chéri ! Tu vas pouvoir retourner en classe !
— Oui, répondit Indigo.
— Je trouve qu'il a toujours très mauvaise mine, moi, gémit Rose, et tout le monde se mit à rire.

Rose était la seule de la famille à savoir ce que cela signifiait pour Indigo de retourner en classe. Safran en devinait une partie, mais Rose savait tout, ou du moins elle le croyait. Il y avait dans sa classe un garçon dont le frère était dans le collège d'Indigo. Longtemps auparavant, ce garçon avait raconté à Rose à quoi ressemblait l'école pour Indigo.

Juste avant qu'il tombe malade, Rose avait fait état de ces informations devant Indigo. Celui-ci avait répliqué, en colère :

— Tout ça, c'est faux ! Tu ne devrais pas écouter de pareils mensonges !

Rose en avait été profondément blessée. Indigo ne s'était jamais fâché contre elle. Il ne lui avait jamais menti non plus, et là, elle savait qu'il mentait. Elle n'y fit plus jamais allusion, mais elle y pensait très souvent.

— Tu n'aurais pas été obligé d'y retourner si je n'avais pas raconté à papa que tu sautais dans l'escalier, déclara-t-elle, pleine de remords, à Indigo.

Indigo se mit à rire.

— Essaye donc tes lunettes, répondit-il pour la faire penser à autre chose.

On était dimanche soir et depuis le début du week-end, la famille avait tenté d'amener Rose à mettre ses lunettes. Comme elle se sentait très coupable par rapport à Indigo qui allait retourner en cours, elle alla les chercher. Elle les posa sur son nez devant tout le monde. Il y avait là Caddy, rentrée pour le week-end, Indigo, Safran et Sarah, la meilleure amie de Safran, qui passait tant de temps chez les Casson qu'elle faisait vraiment partie de la famille.

— Alors, de quoi j'ai l'air ? demanda Rose.

— Tu es bien, répondit Indigo.

— Je demande ça comme ça. Je m'en fiche.

— Tu as l'air vraiment cool, déclara Caddy.

— Et plus âgée, renchérit Safran.

— Ça te va bien, ajouta Sarah pour ne pas être en reste. Mignonne !

— Mignonne ! répéta Rose, écœurée. Moi !

Rose portait des lunettes pour la première fois de

son existence et parce qu'elle n'y était pas habituée, les lunettes se mirent à lui jouer des tours pendables. Elle fit un pas en avant et tomba sur un gros morceau d'air. Elle s'immobilisa et le monde entier se précipita à sa rencontre. Lorsqu'elle leva les bras pour se protéger, elle gifla Sarah.

— D'accord ! Désolée d'avoir dit que tu étais mignonne ! s'exclama Sarah en reculant son fauteuil roulant tandis que Rose traversait la cuisine à tâtons. Je voulais dire magnifique ! Splendide ! Géniale ! Époustouflante... Ouvre les yeux, Rose !

— C'est affreux avec les yeux ouverts !

— Ce n'est pas de lunettes dont tu as besoin ! dit Safran. C'est d'un radar !

— C'est la faute de papa ! répliqua Rose en colère.

C'était le père de Rose qui s'était aperçu que Rose avait besoin de lunettes ; lors de son dernier passage à la maison, il l'avait emmenée chez l'opticien pour les commander lui-même. Il avait également choisi la monture, sans l'aide de Rose qui boudait dans son coin.

— J'y vois trop bien ! se plaignit-elle en ôtant les lunettes. Ils ont dû se tromper ! C'est beaucoup mieux sans !

— Il faut seulement que tu t'y habitues, dit Sarah. C'est comme quand j'ai eu mon nouveau fauteuil, je n'arrêtais pas d'écraser tout le monde.

— Tu continues toujours ! répliquèrent Safran, Caddy et Indigo en chœur.

— Presque ! jamais plus. Sauf quand il le faut.

— Viens voir par ici, dit Caddy à Rose en la guidant à travers la pièce. Remets-les ! Là ! Regarde !

Rose obéit et découvrit une gamine très ordinaire qui la regardait par une petite fenêtre brillante brusquement apparue sur le mur de la cuisine.

— Tu vois, dit Caddy, je t'avais dit qu'elles étaient cool !

Alors, le cerveau de Rose fit un saut périlleux, comme un looping au ralenti, et la petite dans la fenêtre devint son propre visage reflété dans le miroir de la cuisine.

— Oh ! s'exclama-t-elle, indignée. Affreux, affreux papa !

— Tu ne ressembles pas du tout à ça dans la vraie vie ! s'empressa de dire Indigo.

— Bien sûr que si.

— Non. Dans une glace, personne ne ressemble à ce qu'il est. Je vais te montrer...

Indigo vint à côté d'elle pour qu'elle vît également son reflet.

— Là ! ajouta-t-il. Tu trouves que ça me ressemble ?

— Oui.

— Pas du tout !

— Ben si.

— Viens dans le jardin et mets-les là-bas, proposa Indigo.

En suivant Indigo dehors, Rose retrouva sa bonne humeur. Il faisait nuit. Il soufflait un vent printanier bien froid, le genre de temps qui lui faisait toujours légèrement tourner la tête. En outre, il était rassurant de voir que, même avec ses nouvelles lunettes, le jardin ressemblait à ce qu'il avait toujours été, vide, négligé et plein de bosses, avec une pelouse mal entretenue. Elle poussa un soupir de soulagement.

— Ce soir, la nuit est très étoilée, commenta Indigo.

Indigo avait une vue parfaite. À presque treize ans, il connaissait les étoiles depuis des années mais même lui s'exclama :

— Dis donc ! J'en avais jamais vu autant !

Rose voyait parfaitement bien de près, mais tout ce qui était loin était flou. Du coup, les étoiles les plus brillantes lui étaient toujours apparues comme des traînées d'argent dans les ténèbres. De toute son existence, Rose n'avait jamais distingué correctement une étoile.

Ce soir-là, le ciel en était rempli.

Rose leva les yeux et ce fut comme si elle entrait dans une pièce sombre où quelqu'un allumait soudain l'univers.

Les étoiles se jetèrent sur elle avec la violence d'une tempête. Elle vacilla sous le choc et, pendant un instant, elle en resta muette, bouleversée.

Au bout d'un moment, Indigo alla chercher le tapis devant la cheminée pour qu'elle s'allonge dans l'herbe. Caddy apporta ensuite des couvertures. Safran, après avoir raccompagné Sarah chez elle, vint les rejoindre dans le jardin.

— Mais tu as vu des photos d'étoiles, Rose ! s'écria-t-elle. Tu devais bien savoir qu'elles étaient là !

— Non, je savais pas.

Au bout d'un moment, Rose demanda :

— Elles forment des motifs, non ?

— Oui, confirma Indigo.

— Y en a qui bougent.

— Ça, ce sont des avions qui traversent le ciel.

— Il y a nous. Et puis les étoiles. Rien entre les deux. Excepté l'espace, reprit Rose un peu plus tard.

— Oui.

— Indy ?

— Mmmmm ?

— Tu n'as pas peur à l'idée de retourner en classe demain ?

Rose et Indigo étaient les deux plus jeunes de la famille Casson. Safran avait quatorze ans et Caddy, l'aînée, dix-neuf. Caddy était revenue passer le week-end à la maison, en partie pour Indigo qui allait retourner en cours et en partie pour faire honneur aux nouvelles lunettes de Rose. Caddy rentrait souvent, contrairement au père des enfants. Il préférait son atelier de Londres, où il menait une vie d'artiste respectable, soulagé du poids de sa famille.

— Il revient à la maison le week-end, disait la mère de Rose.

— Non, répondait Rose.

— Presque tous les week-ends, quand ça lui est possible.

— Il n'est rentré qu'une fois depuis Noël.

— Écoute, papa doit travailler très dur, Rose chérie.

— Toi aussi.

— Papa est un vrai artiste, répondit Ève : parce que c'était toujours ainsi qu'elle avait expliqué la différence entre elle et Bill aux enfants. Un authentique artiste. Il a besoin de calme et de tranquillité... De toute façon...

— De toute façon, quoi ?

Ève serra Rose contre son cœur maculé de peinture et dit qu'elle avait oublié ce qu'elle essayait d'expliquer.

Ève n'avait pas d'atelier, mais ça lui était égal. Elle était parfaitement heureuse dans la cabane du jardin, avec le vieux canapé rose, une table de cuisine récupérée chez quelqu'un, des lampes dépareillées et des radiateurs d'où jaillissaient des flammes bleues effrayantes. Là, elle peignait des tableaux uniquement sur des sujets vendeurs. Elle était très douée pour les portraits d'enfants et d'animaux domestiques. Les gens lui remettaient des photos à partir desquelles Ève réalisait des tableaux surprenants. Des tableaux représentant des animaux d'un angélisme débordant (comme des enfants) et des enfants qui paraissaient mélancoliques et charmeurs (comme des animaux familiers). Certaines familles s'étaient mises à collectionner des séries entières.

— Il ne s'agit pas exactement d'Art, Ève chérie,

n'est-ce pas ? avait commenté Bill d'un ton désapprobateur lors de sa dernière visite.

Il regardait un tableau particulièrement chaleureux, intitulé *Pontus, Adam et Katie*.

— Qu'en penses-tu, Rose ? avait-il ajouté.

Rose, qui était elle-même artiste et avait une opinion personnelle sur les portraits de sa mère (supernazes, surtout Pontus, Adam et Katie qui avaient l'air de flotter sur des nuages couleur pastel), avait répondu qu'elle trouvait ces tableaux géniaux, bien meilleurs que les œuvres pourries de son père.

Le père de rose détestait les scènes. Il avait donc souri.

— Bien sûr que c'est meilleur que mes tableaux pourris ! s'était-il exclamé. Mais tu n'es pas un peu violente, Rosy la Frime ?

Il avait alors chatouillé le cou de Rose en faisant mine de ne pas remarquer qu'elle lui mordait presque la main.

Rose n'était pas du tout violente le soir où, allongée à côté d'Indigo dans le jardin balayé par le vent, elle contemplait les étoiles.

— Peut-être que tout sera différent ce trimestre. Mieux.

— Oui. Tout ira bien.

— Dans mon école, personne ne brutalise personne. Si tu es en colère après quelqu'un, tu te contentes de raccrocher son manteau sur un autre portemanteau. Ou de dire : « Nanana nère, la culotte en l'air ! » si tu es vraiment vraiment fâchée.

— Quelqu'un t'a déjà dit ça ?

— Non. Si ça m'arrive, je croiserai les doigts. Quand on croise les doigts, c'est renvoyé à l'expéditeur. À l'autre d'avoir la culotte à l'air.

— Mmmmm ?

— C'est pas tout le monde qui sait ça.

Indigo se mit à rire.

Une étoile filante passa comme une écharde de cristal, déchirant le ciel d'un éclair d'argent.

— Fais un vœu ! s'exclama Indigo.

Rose obéit puis demanda :

— Pourquoi ?

— Je le fais toujours. Je fais un vœu dès que je vois une étoile filante.

— Ça compte la vitesse à laquelle elles se déplacent ?

— Je ne crois pas.

— Tu peux faire des vœux avec les avions, aussi ?

— Oh oui.

Rose fit des vœux à chaque avion qui passait jusqu'à presque s'endormir. Puis leur mère les appela de la maison.

— Rose et Indigo, rentrez avant d'être gelés !

Ce fut alors l'heure de se coucher et, tout de suite, le matin fut là.

2

Indigo s'éveilla avec le sentiment qu'une étrange menace planait au-dessus de lui. Il lui fallut une ou deux minutes avant de se rendre compte qu'on était lundi.

Ses vêtements pour l'école étaient posés sur une chaise, noirs et gris terne. Leurs contours se dessinèrent de plus en plus nettement tandis que derrière les rideaux tirés la lumière s'intensifiait. On entendait des bruits de pas et des voix. Les portes battaient et les lames du parquet craquaient. Quelqu'un cria : « La salle de bains est libre ! »

Plus d'échappatoire : le matin était là.

La porte de la chambre d'Indigo s'ouvrit et Rose apparut.

— C'est aujourd'hui que ça se passe. Tu es réveillé ?

— Oui.

— Je t'ai apporté ça. Le téléphone portable de papa. Je l'ai gardé pour toi. Pour que tu puisses demander de l'aide. Si tu te fais encore tabasser.

— Je te l'ai déjà dit il y a belle lurette, je ne me suis pas fait tabasser !

— Ils t'ont enfoncé la tête dans les cabinets ! dit Rose qui, le matin, n'était pas des plus délicates. Moi, j'appelle ça se faire tabasser. Je peux t'emprunter une fringue ?

— Sers-toi, dit Indigo en regardant Rose fouiller dans les vêtements entassés au pied de son lit.

Elle en sortit un vieux sweatshirt noir. Le bord des manches était complètement mâchouillé et il lui arrivait aux genoux.

— Parfait, dit-elle avant de disparaître, laissant la porte ouverte.

De partout, venaient les bruits de la famille qui se préparait pour la journée. Caddy téléphonait à un ami de la faculté.

— Non, non, évidemment pas un gorille. Tu as mal entendu. Un chinchilla... Arrête de crier ! Un minuscule petit chinchilla... Tu t'apercevras à peine de sa présence...

Ève à Rose :

— Chérie, ce n'est pas du tout l'uniforme de l'école.

— Je sais je sais je sais je sais je sais je sais.

On tambourina à la porte de derrière et des voix résonnèrent. Safran parlait à Sarah. Sarah cria de la cuisine :

— Où tu es, Indy ?

— J'arrive ! répondit Indigo.

Le temps qu'il descende, ils étaient tous occupés. Caddy et Rose écrivaient. Ève préparait du porridge tout en faisant tremper une poignée de pinceaux pleins de peinture dans un pot de white-spirit. Safran dictait les réponses de ses devoirs à Rose. Tout le monde trébuchait sur le fauteuil roulant de Sarah, mal replié, et sur un grand tableau à l'huile représentant un cocker, qui refusait de sécher.

— Il faut qu'il sèche, déclara Ève, parce qu'on doit le livrer aujourd'hui. C'est un cadeau d'anniversaire. Bonjour, Indigo mon chéri. Regarde ce tableau et dis-moi ce que tu en penses.

— Il est vraiment bien.

— Dynamique ? s'enquit Ève en grattant la casserole de porridge.

— Plus pensif que dynamique.

— Bon, tant qu'il n'a pas l'air mort.

— Pourquoi ?

— Parce qu'il est mort. Je n'avais que des photos et un petit bout de pelage brun récupéré après coup. Ils étaient très attachés à lui. Ils m'ont payée d'avance. Oh bon sang, j'aurais jamais cru que la peinture mettait tant de temps à sécher !

— Glisse-le sous le grill, suggéra Sarah. Comme du pain.

— Non, non, Sarah chérie, répondit Ève. Ce serait beaucoup trop chaud. Ne t'inquiète pas. Je vais trouver une solution.

— Le sèche-cheveux ?

— Il a cramé, répondit Ève en versant des grosses portions de porridge dans les bols. Ce n'est pas grave. Quand vous serez tous partis à l'école, je brancherai le four et je laisserai la porte ouverte. On verra bien... Voilà ton petit déjeuner, Rose !

— On dirait du béton chaud, remarqua Rose. Il faut que je décrive une journée en Égypte ancienne. Qu'est-ce que je vais dire ?

— C'est les devoirs des vacances ? demanda Sarah. Ne les fais pas, Rose ! Ève va te donner un mot pour dire que c'est inique de donner des devoirs à faire pendant les vacances à un enfant de huit ans ! T'es d'accord, Ève ?

— Je saurais jamais écrire inique, Sarah chérie !

— Du béton chaud, répéta tristement Rose en chipotant son porridge.

— Écris ça, lui dicta Safran : « Les Égyptiens de l'Antiquité sont tous morts. Ils passent des journées très tranquilles. » Le porridge, c'est normal que ça ressemble à du béton chaud. Mange-le.

— C'est plein de vitamines, insista Ève avec espoir, en grattant une autre portion collante avant de secouer la casserole au-dessus d'un bol. Petit déjeuner, Indy ! Coupe une banane dedans ! Caddy, passe-lui une banane ! Y a du courrier, quelqu'un est allé voir ?

— Papa n'écrit jamais, dit Rose. Jamais jamais jamais.

— Lis la question suivante ! ordonna Safran.

— Que diriez-vous à Toutankhamon si vous tombiez sur lui dans la rue ?

— « Pardon ! », riposta aussitôt Sarah. Mets ça !

— Il faut répondre avec des phrases entières.

— « Pardon, mais c'était votre faute ! Vous marchiez en biais ! » Caddy, je peux avoir une banane, moi aussi ?

Caddy, qui essayait de rédiger une lettre très difficile, passa une banane à Sarah et lut à voix haute :

— « Chéri, Peter chéri... »

— C'est une bonne idée de l'appeler « chéri » ? l'interrompit Safran.

— Si je ne le fais pas, il s'en apercevra.

— Mais il est justement censé s'en apercevoir. Comment veux-tu le laisser tomber sans qu'il s'en aperçoive ?

— Je ne le laisse pas tomber. Pas tout à fait. Écoute. « Chéri, Peter chéri... (Je ne peux pas l'appeler autrement.) Je suis vraiment navrée de n'avoir pas réussi à te revoir. J'étais... » J'étais quoi ?

— Sortie tous les soirs avec Michael ? suggéra Safran.

— Non ! répliqua Caddy. En plus, ce n'est pas vrai. Pas tous les soirs. Mange ton porridge, Indigo, c'est hyperbon pour toi. Aidez-moi à écrire cette lettre, quelqu'un !

— Dis la vérité, conseilla Sarah. Finalement, c'est ce qui est le plus gentil. Mets « Cher Peter, j'ai seulement voulu t'essayer comme j'essaye beaucoup d'autres petits amis. Le plus possible, pour être vraiment sûre que Michael est le bon. J'espère que tu ne resteras pas longtemps amoureux de moi. Cordialement, Cadmium Casson. » Michael est le bon ! Tu ferais mieux de l'accepter, Caddy !

— Michael est parfait, remarqua Ève – et personne ne la contredit.

Aucun d'eux ne pouvait plus envisager l'existence sans Michael. Il était devenu un membre de la famille. Caddy l'avait adoré (et elle le lui avait dit) la première fois qu'elle l'avait vu.

— Chéri ! s'était-elle exclamée (séduite par sa boucle d'oreille, sa queue-de-cheval et le regard de ses yeux noirs).

— Ne m'appelez pas chéri, avait répondu Michael. Je suis moniteur d'auto-école !

Pendant plus d'un an, tandis qu'il s'efforçait héroïquement d'apprendre à conduire à Caddy, Michael avait répété ces mots, mais avec chaque fois moins de conviction. Il avait compris d'emblée qu'ils étaient faits l'un pour l'autre.

— Comme Roméo et Juliette, avait dit Caddy, heureuse.

— Ben mince, j'espère que non ! avait répliqué Michael.

En dépit du fait (ou peut-être à cause du fait) qu'elle était parfaitement satisfaite avec le somptueux Michael, Caddy ne pouvait s'empêcher de filer régulièrement à la recherche de comparaisons négatives.

Peter avait été une comparaison très négative.

— Je peux vraiment écrire ce qu'a proposé Sarah ?

s'enquit Caddy. C'est terriblement tentant... Non, je ne peux pas ! Bon, je continue...

— Je n'ai jamais vraiment réussi à aimer Peter, dit Ève. J'ai essayé. Mais, malgré moi, ça m'a dérangée qu'il prenne un billet de dix livres dans la boîte des provisions quand il croyait que je ne regardais pas. Après tout, il lui suffisait de demander...

— Moi, c'était sa façon de coincer ses petites mèches de cheveux derrière les oreilles, fit remarquer Sarah. Les deux côtés en même temps, et après on lisse un petit coup.

— Il était là quand ma dent qui bougeait est tombée, raconta Rose. Et il a dit que j'allais la mettre sous l'oreiller pour la petite souris.

— Et il était du genre à tripoter les fesses de tout le monde, renchérit Safran.

— C'est vrai, acquiesça Indigo.

Caddy regarda Indigo d'un air surpris, saisit une autre feuille de papier et se mit à écrire à toute vitesse.

— Au fait, qu'est-ce que tu en fais de tes dents ? demanda Sarah à Rose.

— Je les broie pour en faire de la poudre de sorcière, répondit tranquillement Rose.

Sarah répliqua par un rire méprisant.

— Dépêche-toi, Indy, sinon on va rater le bus, dit-elle.

— J'y vais à pied, répondit Indigo.

— Oh, Indy !

— Ça ne me dérange pas de marcher, l'autobus met des siècles à faire le tour de toutes les rues.

— Mais regarde, il pleut !

— J'aime la pluie, répondit Indigo avec obstination, et de toute façon, j'ai dit à Rose que j'irai avec elle.

Safran et Sarah n'insistèrent pas. Elles, elles devaient attraper le bus à cause du fauteuil roulant de Sarah et aussi à cause des énormes sacs pleins de devoirs auto-infligés qu'elles s'obstinaient à traîner tous les soirs. Elles dirent donc au revoir à Ève, embrassèrent Caddy, qui serait partie quand elles reviendraient de cours et donnèrent à Indigo le déjeuner préparé par la mère de Sarah.

— Elle a dit de tout manger jusqu'au dernier morceau, le prévint Sarah. C'est plein de vitamines, de protéines et de sucres lents. Elle a dit : « Fourre-lui ça dans son sac, Saffy ! »

— Je vais le faire, s'écria Rose en se précipitant.

Trop tard. Safran avait déjà ouvert le cartable d'Indigo et découvert le téléphone portable. Elle le brandit derrière le dos d'Indigo, les sourcils levés d'un air interrogateur.

— Pour qu'il puisse demander de l'aide par téléphone, expliqua Rose à mi-voix d'un air féroce. S'il se fait encore cogner comme avant.

— Comment ça, cogner ? Viens nous expliquer ça dehors !

— Ils ont été horribles avec lui, déclara Rose en aidant Sarah à descendre l'escalier, pendant que Saffy suivait avec les sacs. Il dit que c'est pas vrai, mais moi, je sais que si. C'est un garçon de mon école qui me l'a raconté. Ils lui ont mis la tête dans la cuvette des cabinets et ils ont tiré la chasse.

— La bande de sa classe ?

Rose hocha la tête. Sarah l'enveloppa de ses bras.

— D'accord, murmura-t-elle. Je sais qui tu veux dire. Saffy et moi, on va les tuer.

— À quoi bon les tuer s'ils l'ont déjà fait, fit remarquer Rose.

— On les tuera avant ! siffla Sarah méchamment. Viens Saffy, on va rater le bus.

Quand Indigo et Rose furent prêts à partir, la pluie s'était transformée en humidité grise. Alors qu'ils s'en allaient, Ève remit à Indigo un déjeuner supplémentaire, au cas où le premier s'avérerait mal adapté. Des saucisses froides, une orange et un sachet d'œufs de Pâques en chocolat.

— Tu adorais ça quand tu étais petit, dit Ève en fourrant son paquet mal ficelé sur la boîte impeccable de la mère de Sarah. Tu veux que je vienne te chercher à la fin des cours, Indigo ? Mine de rien, comme si je passais par là ?

— Non ! Vraiment, maman, je t'en prie, ne viens pas !

— Je pourrais faire comme si c'était un accident.

Indigo implora du regard l'aide de Caddy.

— Ce serait épouvantable, déclara Caddy très fermement à Ève. Tu ne dois pas faire ça. Promets de ne pas le faire.

— D'accord, acquiesça Ève en soupirant. Allez,

vous feriez mieux de partir, tous les deux. Rose chérie, tu as oublié tes nouvelles lunettes. Je crois les avoir vues dans le placard il y a une minute. Cachées derrière la confiture.

— Ah bon ?

— Oui. Les voilà ! Tu ne veux pas les emporter ?

— JE LE SAVAIS ! hurla Rose d'une voix pleine de colère. JE SAVAIS QUE QUELQU'UN ESSAYERAIT DE ME FAIRE EMPORTER CES HORRIBLES LUNETTES À L'ÉCOLE !

En toute hâte, Ève les remit derrière la confiture.

— Ici, elles ne risquent rien, reprit Rose de sa voix normale. Allez, viens, Indigo !

L'école de Rose n'était qu'à quelques centaines de mètres du collège où allaient Indigo, Safran et Sarah. Ève et Caddy les regardèrent s'éloigner. Les huit ans de Rose paraissaient très petits à côté de la nouvelle silhouette dégingandée d'Indigo.

— Elle s'occupe de lui, dit Caddy.

Au même moment, elles virent Rose tendre la main en un geste protecteur pour éviter à Indigo de marcher dans une flaque.

Caddy fut la dernière à partir. On venait la chercher, expliqua-t-elle à sa mère, un certain Derek le militant.

— Derek va-t-il remplacer Peter ? s'enquit Ève, soucieuse de ne pas perdre le fil.

— Peter oui, mais pas Michael, expliqua Caddy. Tu vas l'adorer. En fait... Tant pis ! Le voilà !

Une haute silhouette couverte de boue sur une

splendide moto (également couverte de boue) s'était arrêtée devant la porte. Très vite, le jeune homme entra dans la maison et serra poliment la main d'Ève. Il était beaucoup plus âgé que Caddy, remarqua celle-ci avec inquiétude. N'empêche, tout à fait charmant. Pendant que Caddy rassemblait ses affaires, il avala sans sourciller et d'une seule lampée une tasse de café brûlant, poussa Ève à signer une pétition visant à interdire les activités de gens dont elle n'avait jamais entendu parler, admira le portrait collant de l'épagneul et nota le nom d'un produit à vaporiser pour durcir la peinture. Ainsi, Ève pourrait-elle emballer son tableau. Enfin, il sortit un journal de sa poche, voulut connaître les signes astrologiques de tous les membres de la famille et lut pour chacun, à haute voix, des horoscopes fabuleux.

Ève les embrassa, pas mécontente de les voir partir, Caddy et lui. Elle passa le reste de la matinée à peindre. La cabane au fond du jardin était l'endroit que Ève préférait au monde. Un endroit merveilleusement tranquille.

3

Au collège, le bruit frappa Indigo de plein fouet. Il avait complètement oublié le chahut et l'agitation dans les couloirs. Il avait oublié l'odeur. Il avait presque oublié le rythme des journées. Il fut obligé de se rappeler à l'ordre : Trouve ton casier !

Parce que l'établissement était surpeuplé, on avait installé des casiers dans tous les coins disponibles, le long des couloirs, au fond des salles, dans les cabinets. Pour les garçons de la classe d'Indigo, les toilettes servaient également de vestiaire. Une rangée de portemanteaux partageait la pièce en deux. Il y faisait froid et humide, ça sentait une odeur déprimante de détergent au pin, de vieux vêtements et de cabinets.

— Cette installation n'est pas complètement satisfaisante, disait le proviseur, qui évitait toujours cette partie de l'établissement quand il faisait visiter les lieux.

Pour Indigo, les journées de cours démarraient et s'achevaient dans « cette installation peu satisfaisante ». En outre, c'était le lieu de réunion de la bande. Autrement dit, de ceux qui étaient ses ennemis depuis la première semaine de collège ; depuis qu'il les avait interrompus alors qu'ils avaient enfin réussi à pendre un de leurs camarades à un portemanteau en tordant l'encolure de son sweat.

Il ne s'agissait que d'une petite torture inoffensive, de la pure routine. Indigo aurait mieux fait de rester tranquille. Néanmoins, il voulut s'en mêler.

Cette intervention ne fut profitable à personne. D'abord, pour punir Indigo, le garçon (qui se révéla ensuite un membre enthousiaste de la bande et un tortionnaire avisé) resta dans cette position inconfortable bien plus longtemps qu'il n'était prévu à l'origine. Ce qui le mit dans un très sale état. Une fois libéré (il fallut couper son sweat, qui ne s'en remit jamais), il inquiéta tout le monde en suffoquant pendant plusieurs minutes de manière spectaculaire sans cesser de se tortiller comme s'il était en train de mourir.

— Allez chercher de l'aide ! avait alors crié Indigo (plutôt que de s'occuper de ses oignons).

On avait vigoureusement empêché un ou deux spectateurs, parmi les plus sensibles, d'obéir à cet ordre. Ses spectateurs furent molestés à leur tour.

Puis le pendu reprit suffisamment ses esprits pour s'asseoir. Le chef de la bande, un roux, lui expliqua alors que tous ces ennuis étaient le résultat direct de l'intervention d'Indigo. Le pendu n'était pas idiot. Immédiatement, il confirma que c'était la vérité.

Que le chef de la bande et le pendu soient désormais du même bord, cela avait échappé à Indigo. En outre, en dépit du fait qu'il s'était retrouvé les deux bras tordus dans le dos avec une méchante efficacité durant tout l'épisode de la pendaison et de la suffocation, il n'avait pas encore appris à se tenir tranquille.

— Tu devrais le dire ! conseilla-t-il stupidement au pendu. Tu devrais rapporter ce qu'ils t'ont fait ! Je viendrai avec toi si tu veux.

— Qu'est-ce qui se passe par ici ? intervint alors un professeur, surgissant pile au moment opportun.

Indigo se tut, attendant que l'élève qu'il avait tenté de secourir parle de lui-même.

— Rien, répondit le pendu, toujours assis par terre, souriant et clignant des yeux comme un chat sous le soleil. Rien du tout, répéta-t-il.

Il fut récompensé par la main amicale du Rouquin-chef-de-bande qui l'aida à se relever.

— Ils ont failli t'étrangler ! cria Indigo, que les autres avaient lâché à l'arrivée du professeur.

Le pendu avait regardé Indigo comme s'il était une poussière ramassée sur le carrelage sale ; il avait levé les yeux au ciel et s'était appuyé en souriant contre l'épaule du Rouquin-chef-de-bande.

— Du calme, Indigo !

— Pas de quoi se rouler par terre ! ajouta quelqu'un.

Les élèves se mirent à rire bruyamment et le professeur s'écria, d'un ton énervé :

— Tout le monde dehors !

L'incident était clos.

Il était clos, mais pas oublié. Indigo avait critiqué la bande, s'était mêlé de leurs affaires, avait presque provoqué la rébellion dans les rangs (ces âmes sensibles qui avaient voulu courir chercher de l'aide) et enfin avait voulu tout rapporter à un professeur. Désormais, il se retrouvait dans la position solitaire (et souvent douloureuse) d'ennemi de la bande.

Même après une absence d'un trimestre, Indigo était toujours l'ennemi. Il le comprit dès la porte franchie. Brusquement, la soirée de la veille dans le jardin lui parut lointaine.

L'existence de cette bande divisait la classe d'Indigo en deux groupes.

L'un comprenait presque toutes les filles et quelques garçons insignifiants. Ils avaient le droit de faire ce que bon leur semblait, à moitié ignorés, à moitié protégés. Ils payaient cette protection de leur silence. Ce qui signifiait qu'ils ne prêtaient aucune attention aux activités qui se déroulaient à côté d'eux. En échange, personne ne s'intéressait à eux.

Le reste de la classe, c'étaient les membres de la bande.

Une bonne partie d'entre eux n'était rien de pire que des bruyants suivistes.

Les suivistes, quand ils ne faisaient pas les pitres

pour survivre, aidaient à bousculer et molester les victimes désignées. Ils filaient doux en raison de la possibilité épouvantable et bien réelle de devenir victimes à leur tour.

Ils étaient menés par un cercle fermé de décisionnaires. Les risque-tout, les bourreaux des cœurs, les hypocrites du genre ne-nous-oblige-pas-à-te-faire-un-truc-pareil. Tous triés sur le volet par le Rouquin-chef-de-bande. L'étendue de leur pouvoir était étonnante, étant donné le peu qu'ils faisaient. Pas de tabassage, pas de pendaison, pas de croche-pied. Pas de tête plongée dans la cuvette. Peut-être un peu d'asticotage pas trop méchant de temps en temps.

— Eh, Indy ! On a cru que t'étais mort !

— T'es pas mort, hein, Indy ?

— Tu te sens bien maintenant, Indigo ? Ça va ?

Ce fut le chef de la bande qui dit cela, le rouquin avec son visage incroyablement blanc et maigre. Il répéta, en souriant d'un air menaçant :

— Ça va, Casson ?

Dehors, le ciel se dégageait. Les nuages s'ouvraient. On vit un pan de bleu. Indigo pensa à Rose qui faisait des vœux au passage des avions.

— Oui, merci, répondit-il.

— Content d'être revenu ? insista le Rouquin-chef-de-bande en avançant d'un pas.

Indigo ne répondit pas.

— Content d'être revenu ? Casson ?

Indigo jeta un œil vers la porte, calculant la distance.

— On t'a demandé, dit le rouquin en jetant un

rapide regard par-dessus son épaule pour vérifier l'état de ses troupes, si tu étais content d'être revenu, Casson.

Indigo se dit que s'il rentrait chez lui visiblement cogné, battu, pendu ou plongé dans les toilettes, Rose ne pourrait pas le supporter. Cette pensée le rendait malade.

— Casson ? Es. Tu. Cont...

Indigo releva la tête.

— Non.

— Tu n'es pas content d'être revenu ? répéta le rouquin.

Les suivistes se rassemblèrent en bourdonnant avec bonheur.

Brusquement, Indigo en eut assez. Il avait envie de sortir de cette salle et ça lui était bien égal de savoir comment. Il commença à se frayer un chemin dans la cohue. Sans avoir l'air de bouger, la bande se resserra autour de lui.

— Où tu crois aller, Casson ? demanda le rouquin.

— Dehors.

— Pas question.

— Mais si, affirma Indigo en continuant à avancer avec obstination vers la porte.

La bande se mit à gronder. Il y avait quelque chose qui clochait. Petit à petit, Indigo avançait, malgré eux. Ils jetèrent un œil vers leurs chefs pour savoir quoi faire et le grondement s'intensifia. Ils faisaient tant de bruit que Sarah et Safran les entendirent dans le couloir, où elles ne passaient pas par hasard.

Elles entrèrent en trombe dans la salle où aucune fille n'avait jamais pénétré et fauchèrent la foule comme des quilles, Safran à coups de poing et de genou et Sarah avec son fauteuil roulant.

— Saffy ! Sarah ! Sortez d'ici ! cria Indigo.

Sarah se mit à rire.

— Ferme-la, Indigo ! s'exclama Safran.

Elles foncèrent droit sur le chef de bande, le rouquin blafard, l'envoyant bouler contre le lavabo, où il se cogna fort la tête.

Indigo ferma les yeux en espérant que c'était un cauchemar. Il les rouvrit pour voir le chef remis brutalement sur ses pieds par une Safran déchaînée, tandis que Sarah bloquait la porte.

— Ne t'avise plus jamais... jamais, dit Safran qui crépitait comme une comète en furie, les poings entortillés autour des mèches orange, de toucher mon frère... Plus jamais...

Safran lui secoua la tête en resserrant sa prise.

— Ni toi...

(Nouvelle secousse.)

— ... ni personne de ta bande...

(Secousse.)

— ... Parce qu'autrement, Sarah et moi...

(Double secousse.)

— ... on t'achève !

Sur une ultime secousse, Safran le lâcha.

— Safran, dit Indigo, brisant le silence terrifié. Saffy. Ce n'était pas la peine de faire ça.

Safran ne lui prêta aucune attention.

— Barrez-vous ! dit-elle à la foule.

Ils s'écartèrent devant elle et la regardèrent se laver les mains. Ils virent les cheveux roux boucher la bonde du lavabo.

Safran se sécha les mains en dévisageant les garçons à tour de rôle, pour ne pas les oublier.

— Je les connais tous par leur nom, dit Sarah.

On n'entendait pas un bruit. Elles étaient les filles les plus célèbres de l'établissement. Tout le monde connaissait Safran avec ses longues jambes, ses longs cheveux dorés et ses légendaires résultats scolaires. Tout le monde connaissait Sarah, qui avait été renvoyée de l'école privée dirigée par sa propre mère, après avoir enfreint délibérément tous les règlements, un par jour, jusqu'à gagner définitivement la bataille.

— À plus tard, Indy, dit Sarah en sortant en trombe de la salle, suivie de Safran.

Personne ne regardait Indigo et personne ne regardait le chef de bande au visage maigre, qui s'évertuait à lisser ce qui lui restait de cheveux. Personne ne parla, mais de l'autre côté de la salle, quelqu'un se mit à rire.

Un rire bruyant, grossier, insolent.

Le rouquin cessa de se recoiffer et se redressa. Indigo en fit autant. Appuyé contre le mur, un garçon brun aux yeux sombres, qu'il n'avait jamais vu, les observait. Il était plus petit que les autres, mais il n'avait pas l'air de s'en rendre compte. Il leva les sourcils vers Indigo, amusé et méprisant.

— J'aurais vraiment tout vu ! déclara-t-il. Et toi,

ajouta-t-il en s'adressant au rouquin (ou à ce qui en restait), t'as perdu. Déplumé.

Le chef rouquin savait que s'il ne rétablissait pas immédiatement son autorité, c'était définitivement fichu pour lui. Après avoir vérifié d'un coup d'œil qu'il avait toujours ses troupes en main, il jeta un regard mauvais au garçon qui l'avait traité de « déplumé ».

— Lui, ordonna-t-il.

Le cercle fermé hocha la tête.

L'abattement s'empara brusquement d'Indigo. Il se souvenait du moment où ils l'avaient regardé de la même façon en hochant pareillement la tête.

Soulagée, la foule, se détendit. L'ordre était restauré. La bande était toujours puissante. Le chef était toujours le chef. Et eux, ils étaient en sécurité. À l'abri dans le nombre. Il y avait une nouvelle victime.

Les chefs quittèrent la salle. La foule suivit bruyamment, en prenant garde de bousculer la nouvelle victime au passage. En quelques secondes, son cartable était par terre et le contenu tranquillement éparpillé à coups de pied dans les parties les plus humides du carrelage.

Au début, le nouveau parut ébahi de la rapidité avec laquelle ils avaient foncé sur lui. Puis il se mit à leur courir après en criant, passant d'un attaquant à l'autre, mais la salle se retrouva rapidement vide.

Il n'y restait plus qu'Indigo.

Indigo ramassa les livres épars, les essuya tant bien que mal et déplissa les pages froissées.

— Tu n'aurais pas dû les pousser à bout, dit-il.

— Moi, je n'aurais pas dû les pousser à bout ! répéta le garçon. C'est ta cinglée de sœur et sa copine qui les ont rendus fous ! Pour te sauver, toi !

— Je sais. Mais ils n'aiment pas qu'on se moque d'eux.

— Ça pue dans cette boîte !

— Oui, acquiesça Indigo. Ça arrive parfois.

— Parfois ! Tu parles, ça pue en permanence !

— Voilà tous tes livres. Je crois que ça va.

Le garçon leva les yeux au ciel d'un air effaré. « Ça ne va pas du tout », disait son regard.

Une cloche sonna dans le couloir.

— On ferait mieux d'y aller, dit Indigo.

Le garçon prit une balle en caoutchouc dans sa poche et la serra de toutes ses forces. Puis il la fit rebondir par terre. Il la rattrapa et le relança aussitôt, puis continua ainsi sans s'arrêter, blême de colère.

— On ferait mieux d'y aller, répéta Indigo.

Le garçon attrapa sa balle au bond et la lança brutalement à la tête d'Indigo. La balle heurta la pommette, provoquant une douleur cuisante. Le garçon récupéra sa balle et la relança. Cette fois, il atteignit Indigo à l'oreille.

— Ben alors, reste pas planté là ! s'exclama-t-il. Tu restes planté là ! Pourquoi tu restes planté là ?

— Je ne sais pas, répondit Indigo.

La balle était repartie. Cette fois, Indigo était prêt

et il la rattrapa. Il la garda un moment avant de la relancer doucement à son propriétaire.

— Je ne me bats pas avec toi, dit-il. Viens. On va être en retard.

4

Après le départ de Caddy, Ève s'était assise dans la cuisine pour boire tranquillement un café. Elle se retrouva en train de contempler la charte de couleurs accrochée sur le mur. C'était de là que venaient les noms des enfants. Cadmium d'Or, Indigo et Rose Saturée possédaient chacun leur petit pavé de couleur et longtemps auparavant, on en avait rajouté un pour Safran (Jaune safran). La famille avait adopté Safran lorsqu'elle avait trois ans à la mort de sa mère, la sœur d'Ève.

— Saffy chérie ! murmura Ève en regardant le petit carré jaune.

Safran était la seule pour laquelle il n'y avait pas de souci à se faire.

Pour tous les autres, il y avait de quoi s'inquiéter.

Entre les coups de téléphone, les tableaux à peindre et ses tentatives pour faire démarrer la voiture, Ève y consacrait ses journées : depuis Caddy qui fonçait à Londres sur la moto d'un inconnu, jusqu'à Indigo qui était épais comme un pinceau et blanc comme un linge, en passant par Rose, fâchée en permanence contre son père.

Tout en s'inquiétant pour le père de Rose, Ève s'était endormie. Allongée sur le vieux canapé rose de sa cabane, elle avait fermé les yeux et les avait tous oubliés.

Rose fut la première à rentrer de l'école. Elle trouva la maison ouverte mais vide ; il n'y avait pas un bruit dans la cuisine pleine d'ombres. Cependant, une lumière brillait dans la cabane de sa mère. Rose s'engagea dans l'allée étroite et jeta un œil par la fenêtre.

Ève dormait toujours et Rose fut déçue. Un peu de compagnie ne lui aurait pas déplu, mais elle savait par expérience qu'il était inutile d'essayer de réveiller sa mère. Ève, quand elle sortait du sommeil, était une catastrophe ambulante. Les yeux hermétiquement clos, elle battait l'air de ses bras, en tâtonnant à la recherche du café, renversant tout. Elle marmonnait « Chéri, chéri ! » en rentrant dans les murs.

Endormie, sa mère ressemblait tout à fait à Caddy, se dit Rose. Une version floue de Caddy. Caddy peinte avec de moins bonnes couleurs et un pinceau légèrement usé.

— Caddy, dit Rose à voix haute parce qu'elle lui manquait déjà.

Elle s'efforça d'imaginer Caddy à Londres, mais cela lui fut impossible. Londres appartenait plutôt à son père, qui y louait déjà un atelier bien avant qu'elle fût née. Rose n'était jamais allée à Londres, elle n'avait jamais visité l'atelier de son père mais elle avait vu les tableaux qu'il y peignait. Il les rapportait parfois à la maison pour les montrer à sa famille.

— Chéri, mais c'est merveilleux ! s'exclamait Ève chaque fois, je me demande comment tu fais !

Bill était content, c'était vrai, elle ignorait comment il faisait.

Caddy, Safran et Indigo faisaient des commentaires du genre « Waouh, c'est génial ! » ou « Incroyable ! Aussi précis qu'une photo ! » et Bill, qui depuis belle lurette, avait décidé qu'ils étaient allergiques à toute forme de culture, ne se formalisait pas.

Ensuite (à moins qu'elle n'ait réussi à s'esquiver), le père de Rose demandait d'une voix tendue :

— Rose ? Le tableau est là pour que tu le critiques !

— Tu te mets toujours en colère, quoi que je dise.

— Dis-moi simplement ce que tu en penses, Rose chérie.

— Oh. Bien. C'est très joli.

— Rose !

— Je vois pas ce que ça représente.

Le père de Rose enfouissait son visage entre ses mains.

— Je n'ai pas dit que ça me plaisait pas ! insistait Rose.

Alors, Caddy, Ève, Safran et Indigo s'en mêlaient tous avec tact pour faire remarquer que Rose n'avait que huit ans et qu'elle ne connaissait rien à l'Art. Ils n'étaient jamais très convaincants et le père de Rose n'était jamais très convaincu. Tout le monde savait que Rose avait un œil infaillible pour la perfection. Bill l'avait une fois mise à l'épreuve avec un catalogue rapporté d'un musée d'Italie.

— Lequel est le meilleur ? lui avait-il demandé.

Rose avait longuement feuilleté le catalogue en tout sens avant de choisir un dessin, un croquis brun-rouge.

— Oh, avait dit Bill, Michel-Ange.

Ça l'avait abattu.

Les tableaux de Rose mettaient son père hors de lui. Elle ne se servait de papier qu'en dernier recours. Comme Michel-Ange, elle préférait les murs. Le paysage désertique rehaussé de vernis rouge qu'elle avait peint en haut de l'escalier alors qu'elle n'avait pas encore sept ans, s'obstinait toujours à réapparaître en dépit des trois couches de peinture magnolia. Pour l'instant, elle réalisait une œuvre grandiose : une fresque aux pastels sur le mur de la cuisine. C'était très pratique parce qu'elle pouvait la modifier dès qu'elle en avait envie. Cela représentait la famille assise sur le toit de la maison, comme des animaux réfugiés au sommet d'une arche en train de couler.

Du jardin, Rose continua à regarder sa mère dormir. Puis elle fit demi-tour, rentra dans la maison et se mit à peindre. Elle rajouta de l'or dans les cheveux de Caddy et ferma les yeux de sa mère, si bien qu'à présent elle dormait, affalée contre la cheminée du toit. Elle rêve, se dit Rose en dessinant un léger cercle de fumée violette autour de sa tête.

Ève souriait, rêvant contre la cheminée.

Rose lui rendit son sourire et commença à se dessiner elle-même, tout près d'Indigo qui était fermement ancré au milieu du toit, les pieds dans la gouttière pour ne pas glisser. Elle était tellement absorbée qu'elle n'entendit pas Indigo rentrer, jusqu'à ce qu'il la fasse sursauter en arrivant derrière elle.

— Tu vas bien ? demanda-t-elle en se jetant sur lui. C'était aussi horrible que tu le pensais ? Ils t'ont encore collé la tête dans les cabinets ?

— Ça s'est très bien passé, lui répondit Indigo en se dégageant. Je te l'avais dit. Eh, mais quel tableau ! Maman me plaît ! Qu'est-il arrivé à papa ?

— Il est derrière le nuage, répondit Rose en montrant une forme grise et chargée d'orage qui surplombait le toit.

— Pourquoi ?

— Je sais pas, répondit Rose d'une voix morne. Je sais pas pourquoi il fait ce qu'il fait.

Indigo abandonna la conversation et entreprit de vider son cartable.

— Regarde ce que la mère de Sarah m'a donné pour

déjeuner ! Des noix, du raisin et des bananes ! Elle doit me prendre pour un singe.

Il joua les singes pour faire rire Rose, qui cessa de dessiner des éclairs blancs en forme de poignards jaillissant du nuage de leur père et préféra prendre une banane. Pendant qu'elle mangeait, Indigo lui parla du nouveau qui était arrivé dans leur classe.

— Il s'appelle Tom. Tom Levin. Il est américain. Il va rester ici jusqu'à la fin du trimestre.

— Pourquoi ?

L'explication que Tom avait donnée de la raison de son séjour en Angleterre n'était pas passée inaperçue. On s'était copieusement moqué de lui, mais il n'avait pas varié son histoire d'un iota.

— Il dit, commença prudemment Indigo, que son père est astronaute...

— Un astronaute de l'espace ?

— Il a seulement dit astronaute.

— Il est dans l'espace en ce moment ? demanda Rose en regardant par la fenêtre. Et sa mère, alors ? Elle est astronaute aussi ?

— Non. Elle fait autre chose. Elle est partie aussi. C'est ce qu'a dit Tom. S'occuper des ours...

— S'occuper des ours ?

— Dans le parc national de Yellowstone...

— Ah Yellowstone..., répéta Rose en hochant la tête d'un air avisé, comme si elle se rendait souvent là-bas. Yogi l'ours vit là-bas.

— Alors, il s'est installé chez sa grand-mère anglaise jusqu'à la fin de l'année...

— Et après, il ira aider sa mère à s'occuper des ours ?

— Il n'a pas dit ça.

— Ou peut-être que son père sera revenu.

— Peut-être.

— Ça lui plaît ici ?

— Je ne crois pas, répondit Indigo.

La foule des suivistes avaient passé l'après-midi à imiter tout ce que Tom disait et le rouquin le dévisageait d'une telle manière que même les veinards du groupe des ignorés-protégés n'avaient pas essayé de faire ami-ami avec lui.

— Je me demande si papa a jamais pensé devenir astronaute, remarqua Rose. On aurait pu aller le voir se faire mettre à feu. Ça t'embête pas que je te prenne des cacahuètes ?

— Sers-toi ! Salut, Safran !

Safran franchit la porte d'un bond, l'air très contente d'elle.

— Indigo t'a-t-il raconté comment Sarah et moi, on lui a sauvé la vie ? demanda-t-elle.

— Non, je n'ai rien dit, et de toute façon, c'est pas vrai ! riposta Indigo. Et ne faites plus jamais irruption comme ça dans nos cabinets ! C'était horrible !

— Il fallait le faire ! répliqua joyeusement Safran. Sarah et moi, ça nous a plu, contrairement à toi. C'était charmant la façon dont les cheveux du type s'arrachaient ! Ils ne tenaient pas bien, j'ai à peine tiré.

— Indigo, tu m'as dit que ça s'était bien passé ! s'indigna Rose. Parfaitement bien, tu as dit !

— C'est vrai, assura Indigo. Parfaitement. Je te le promets.

— C'est vrai, confirma Safran à Rose. Inutile de t'inquiéter. Sarah et moi, on est juste passées vérifier, c'est tout. Où sont tes lunettes ? J'ai promis à Caddy de t'y faire penser.

— Eh bien, ça y est, c'est fait.

— Où elles sont ?

Rose ouvrit le placard, le doigt tendu. Saffy vit où se trouvaient les lunettes, coincées derrière un pot de confiture d'abricot qui avait largement moisi sur le dessus.

— Tu vas les laisser là ?

— Oui. Sauf s'il y a des étoiles à regarder.

Brusquement, Rose se souvint qu'elle avait des nouvelles à annoncer.

— Caddy a téléphoné pendant que j'étais toute seule, reprit-elle. Elle est bien rentrée, ça va et elle s'occupe du chinchilla de quelqu'un. Elle l'a pris dans sa chambre. À quoi ça ressemble un chinchilla ?

— Un genre de truc lapino-chato-écureuillo-koalao-ourseux, lui expliqua Safran. Où est maman ? Je meurs de faim.

— Elle est dans la cabane, dit Rose. Elle dort. Donc elle prépare pas à manger. Moi aussi, j'ai faim. Je voudrais bien quelque chose de chaud.

Dans sa fresque, un truc lapino-chato-écureuillo-koalao-ourseux avait déjà commencé à se matérialiser sur le toit, à côté de Caddy. Safran et Indigo la regardèrent avec admiration tandis qu'elle frottait le pelage argenté en crachant sur un coin de torchon.

— Je mangerais bien de la soupe, suggéra Rose.

Elle termina le pelage, gratta du bout de l'ongle des moustaches délicatement incurvées et ajouta deux reflets dans les yeux. Le chinchilla prit brusquement vie, comme tous les dessins de Rose.

— De la soupe chaude, continua Rose en se mettant à colorer l'eau profonde qui clapotait autour des murs de la maison familiale.

Safran et Indigo échangèrent un regard avant de se tourner vers la porte fermée de la cabane. Personne n'arrivait en hâte pour préparer de la soupe chaude.

— Nous pourrions, nous, faire de la soupe... commença Indigo d'un ton hésitant, mais ça prendrait des siècles. Et puis il nous faudrait des trucs à mettre dedans... des légumes...

Rose l'interrompit pour expliquer qu'elle parlait de vraie soupe, celle des boîtes.

— Des boîtes ! s'écria Safran.

Elle se rappelait tout d'un coup qu'ils avaient ça, des boîtes de soupe gagnées à une tombola l'année précédente par la mère de Sarah et offertes aux Casson.

Il leur fallut un petit moment pour les dénicher au milieu du bazar de la cuisine, mais ils finirent par les exhumer de derrière une caisse de décorations de Noël.

En deux coups de cuillère à pot, des odeurs prometteuses s'élevèrent. Rose reniflait avec bonheur en lisant les étiquettes :

— « Minestrone. » Génial ! Pourquoi la mère de Sarah n'en a pas voulu ?

— Elle n'aime pas les trucs en boîte.

— Pourquoi ?

— Elle dit que c'est pas de la cuisine. Papa est pareil.

— Ah bon ?

— Tu ne t'en souviens pas ?

— D'après vous, pourquoi papa ne revient plus jamais à la maison ? demanda Rose.

Safran et Indigo la dévisagèrent d'un air surpris.

— Mais il revient ! s'exclama aussitôt Safran. Bien sûr qu'il revient ! C'est pas vrai, Indy ?

— Oui, dit Indigo, mais d'un ton nettement moins assuré que Safran. Il revient. Pas aussi souvent qu'avant. Mais quand on a besoin de lui, il vient.

Rose eut un reniflement de mépris.

— En cas d'urgence, il se précipite à la maison, renchérit Safran. Il peut faire des tonnes d'histoires, mais il vient.

Comme pour tes lunettes, Rose.

— C'était pas une urgence.

— Bon alors, comme quand Indy a dû aller à l'hôpital le trimestre dernier pour avoir une transfusion de sang. Et quand Caddy s'est enfuie de l'université où elle n'était que depuis une semaine, parce que la maison lui manquait.

— Et comme quand la voiture s'est retrouvée avec un sabot de Denver et direct à la fourrière alors que le cochon d'Inde était encore dans le coffre, dit Indigo. Il est revenu chaque fois.

— Tout ça, ça date drôlement, objecta Rose. Vous croyez que maintenant il reviendrait à la maison si on avait besoin de lui ?

— Bien sûr que oui, répondirent en chœur Indigo et Safran.

Rose réfléchit à cette conversation le mardi soir quand ils mangèrent à nouveau de la soupe, et le mercredi alors que la soupe était finie. Ce soir-là, alors que Rose et sa mère étaient en route pour la friterie, la voiture hoqueta et s'arrêta après avoir parcouru une centaine de mètres. Elles étaient montées dedans pleines d'espoir quelques minutes plus tôt, elles en redescendirent complètement abattues. À la maison, il apparut clairement qu'on ne pouvait envisager qu'un seul plat chaud, des pommes de terre en robe de chambre.

— C'est papa qui est doué pour les courses au supermarché, dit Ève d'un ton d'excuse en branchant le four. Ce n'est pas grave, Rose, tu aimes bien les pommes de terre en robe de chambre.

C'était vrai, et Rose, affamée, essaya de ne pas penser au temps interminable à passer entre le moment où les pommes de terre seraient au four et celui où elles ressortiraient, prêtes à être mangées. Elle en occupa une partie à écrire à son père.

Papa chéri,

Pauvre Safran. Elle s'est battue dans les cabinets des garçons lundi, tu le savais ? Une grosse bagarre et Sarah l'a aidée et c'était terrifiant. C'est un garçon de ma classe qui l'a dit parce qu'il a un frère qu'était là.

Rose n'était pas du tout sûre que Safran et Indigo avaient raison quand ils disaient qu'on pouvait faire confiance à leur père, artiste mais absent, pour se précipiter à la maison en période de crise, mais ça valait quand même le coup d'essayer.

Saffy s'est lavé les mains et elle a dit t'avise plus jamais jamais de la vie de toucher à mon frère (Indigo). Et les cheveux bouchaient le trou des lavabos.

Gros bisous

Rose

Rose relut sa lettre et décida qu'il fallait quelque chose de plus, une touche sympathique, pour éviter l'ambiance de crise totale. Elle examina la cuisine à la recherche d'inspiration puis ajouta quelques lignes.

La mère de Sarah nous a donné de la soupe. Soupe soupe soupe et puis on avait tout fini.

G.B.

R.

Elle griffonna une rangée de croix représentant des

baisers en bas de la feuille, trouva un timbre et une enveloppe, écrivit l'adresse, mit sa lettre dedans et colla le timbre d'un bon coup de poing.

— Je vais poster quelque chose, annonça-t-elle à la cantonade.

Puis elle sortit en hâte avant que quelqu'un dise :

— Pas toute seule, chérie !

Sur le chemin de la boîte aux lettres, Rose fit ses calculs. On était mercredi. Sa lettre arriverait jeudi. Son père, elle l'espérait, serait donc à la maison vendredi dernier carat.

Alors sa mère cesserait de peindre des portraits d'animaux morts et sortirait de sa cabane, la voiture serait réparée, les étagères du placard regarnies et le plus important, on trouverait un moyen pour qu'Indigo soit en sécurité au collège.

— Et je lui montrerai ma fresque sur le mur de la cuisine, déclara Rose, à voix haute.

Dès qu'Indigo serait sorti d'affaire, avant même de lui montrer les étagères vides du placard.

— Pas toute seule, chérie ! répéta Ève quand Rose revint.

— J'y suis déjà allée, répondit Rose.

5

Après sa rencontre musclée avec Safran et Sarah, le Rouquin-chef-de-bande s'était retrouvé confronté à deux difficultés.

La première, c'était qu'il souffrait dès qu'il se coiffait. Il cessa de se coiffer. Un problème de résolu.

La seconde, c'était que (pour le moment) Indigo était intouchable. Une deuxième rencontre avec Safran et Sarah était trop horrible pour être seulement envisagée. L'esprit subtil et plein de ressources du chef s'acharna sur cette complication, et il ne lui fallut pas longtemps pour s'en débrouiller. Il pouvait se passer tant de choses au collège susceptibles de déplaire à Indigo.

Une avait d'ailleurs déjà démarré.

Tout le monde savait qu'Indigo se retrouvait au bord

de la nausée quand on l'obligeait à assister au spectacle de la bande s'attaquant à une victime. Il était facile de s'arranger pour qu'il en voie davantage. Il n'était même pas nécessaire de sacrifier un des suivistes. Pile au bon moment, un nouveau avait débarqué. Tom, cinglant et plein de mépris, cherchait les ennuis.

Au début, le Rouquin-chef-de-bande eut du mal à faire passer les suivistes d'Indigo à Tom. Ce n'était vraiment pas des flèches, ceux-là. Il fallait leur rappeler patiemment à tout bout de champ : « Pas lui ! Tom ! Là-bas ! » C'était un peu comme dresser des chiens.

Indigo volait toujours au secours de Tom quand les chiens étaient lâchés, mais il s'aperçut rapidement qu'il ne servait pas à grand-chose. Il était redevenu invisible. S'il se jetait dans la mêlée au milieu de laquelle Tom se faisait bousculer et cogner, ils s'écartaient sur son passage pour se resserrer aussitôt après. Il avait beau crier, ils étaient sourds. Il avait beau leur taper dessus, ils ne sentaient rien. Leur chef, le rouquin au visage émacié, souriait doucement sans le voir, comme s'il était un trou dans le mur.

Durant la première semaine du trimestre, toutes les affaires de Tom se retrouvèrent en piteux état mais, de façon inexplicable, Tom lui-même était intact. Quel que soit le nombre de ses assaillants, il se défendait toujours. Il refusait d'être une victime et il devint rapidement évident qu'il était l'individu le plus difficile à brutaliser que la bande ait jamais connu. Il fallait en permanence rappeler son devoir à la foule des suivistes. Leur chef ne s'était jamais donné autant de mal.

Une partie de son problème résidait dans le fait que Tom ne cessait jamais de parler.

Indigo écoutait Tom parler sans savoir quoi en penser. À l'évidence, Tom parlait parce qu'il aimait qu'on l'écoute. Il aimait avoir un public, n'importe lequel, même un public d'ennemis, du moment qu'ils étaient attentifs.

Tom racontait des histoires incroyables d'un air parfaitement détaché, raisonné, assuré.

— Ton père est astronaute, hein, Tom ? demandait quelqu'un.

— Absolument, répondait nonchalamment Tom.

— Astronaute, tu dis ?

— En ce moment.

— Comment ça, en ce moment ?

— Eh bien, évidemment, il n'a pas toujours été astronaute. On ne naît pas astronaute.

Le silence s'installait. La foule des suivistes, les ignorés-protégés et le tout-venant habituel se consultaient. Évidemment, on ne naissait pas astronaute. Il les croyait idiots ?

Une nouvelle question prenait le relais.

— Il faisait quoi avant ?

— Joueur de baseball.

Personne, dans la classe de Tom et Indigo, personne dans le collège tout entier, ne savait quoi que ce fût sur les joueurs de baseball, mais ça n'en paraissait pas moins improbable.

— Menteur.

Tom haussait les épaules.

— Un bon joueur de baseball ?

On avait l'impression que Tom avait toujours une balle en caoutchouc planquée quelque part. Il en sortit une de sa poche et commença à la faire passer d'une main dans l'autre, mais les questions continuèrent.

— Un vraiment bon joueur de baseball ?

Tom lança sa balle vers le plafond, la rattrapa et, les sourcils levés, regarda celui qui posait la question. « Mais il est idiot ou quoi ? » disait ce regard à la face du monde.

— Un joueur de baseball professionnel ?

Tom se désintéressa de la conversation et s'éloigna, sans cesser de faire rebondir sa balle. Derrière lui, le plafond était maculé de traces circulaires grises tandis que la petite foule répétait :

— Quel menteur ! Mais quel sacré menteur !

— Qui est un menteur ? s'enquit le le chef rouquin en passant à travers Indigo comme si celui-ci n'était que brouillard. Qui ?

— Tom.

— Levin ? Tom Levin ? Oui, acquiesça d'un air vertueux le chef. Oui, c'est un menteur.

En classe, Tom ne travaillait pas du tout. Mais alors vraiment pas du tout. Si on l'interrogeait, il haussait les épaules en répondant : « Qui sait ? » Ses yeux bruns attentifs et pleins de mépris disaient, eux, encore plus clairement : « On s'en fiche. »

Il lui arrivait de sortir sa balle de sa poche et de jouer très discrètement avec, presque sans bouger. Imperceptiblement, cependant, le jeu s'intensifiait. Il basculait sa chaise pour se donner davantage d'espace. Il compliquait l'affaire en rattrapant la balle les yeux fermés. Ensuite, il la faisait rebondir.

Là, ça dépassait les bornes de ce que n'importe quel professeur pouvait supporter et, rapidement, Tom se faisait exclure du cours. Il sortait sans protester. On entendait sa balle rebondir dans le couloir, de plus en plus faiblement tandis qu'il s'éloignait.

Un jeudi après-midi, Derek-Derek-le-militant arriva chez les Casson. Il passait par là, expliqua-t-il, et il s'était arrêté pour dire bonjour. Rose rentrait au même moment et, prise d'une inspiration subite, elle lui demanda :

— Tu sais réparer les voitures ?

Il s'avéra que Derek était incroyablement doué pour réparer les voitures ; il soigna celle des Casson presque immédiatement en lui appliquant un traitement simple mais efficace, mettre de l'essence dans le réservoir.

— Je savais que je devais acheter quelque chose ! s'exclama Ève, ravie de ces bonnes nouvelles.

— Maintenant, tu peux aller faire les courses, dit Rose.

— Ah oui, répondit Ève sans enthousiasme.

En arrivant du collège, Indigo et Safran la trouvèrent en train de faire une liste des commissions ; Rose, elle, récompensait Derek de ses talents de mécanicien en ajoutant son portrait à la collection de gens figurant dans sa fresque murale.

— Salut, Saffy, salut, Indigo, dit Ève. Des piles, du

white-spirit, de la teinture pour les cheveux... Ne me parlez pas ! J'essaie de réfléchir ! Derek chéri a réparé la voiture !

Derek releva la tête, un peu surpris, mais Rose le rabroua sévèrement.

— Elle appelle tout le monde chéri ! Reste tranquille !

— Je n'appelle pas tout le monde chéri ! protesta Ève. Tu as besoin de nouveaux pastels, Rose ?

— Oui, s'il te plaît. J'en ai toujours besoin.

— Des piles, du white-spirit, de la teinture, des pastels pour Rose. Des fleurs, ça serait bien, ces gros lis roses... Qu'est-ce qu'on doit acheter d'autre ?

— À manger, suggéra sombrement Safran.

Ève poussa un profond soupir.

— Quoi à manger ? demanda-t-elle.

— Des trucs pour le petit déjeuner, répondit aussitôt Rose. Des trucs pour le dîner, des trucs pour entre les deux, du Coca *light* et du café pour te réveiller et des trucs que papa aime au cas où il viendrait ici demain.

— Oh, Rose ! dit sa mère, papa nous aurait déjà prévenus s'il venait demain.

Il y eut un petit silence et tout le monde regarda Rose. Celle-ci ne dit rien mais elle cessa de dessiner Derek pour se lancer dans un rapide croquis en bas de sa fresque. En un rien de temps, l'eau profonde qui clapotait contre les murs de la maison se retrouva envahie d'ailerons de requin.

— Rose, dit Derek, tu dessines vraiment géniale-ment.

Rose lui décocha un bref coup d'œil en biais pour voir s'il se moquait d'elle. Elle estima que non et se mit à l'apprécier énormément.

— Derek, dit Safran, posant la question qu'ils se posaient tous, qu'est-ce que tu fais sous la tente où tu habites ?

— J'écris ma thèse. Un livre, ajouta-t-il à l'intention de Rose. J'écris un livre.

— Oh là là ! Sous une tente ?

— Là-bas, dans la lande. C'est bourré de sites de l'âge de bronze. Des cercles de pierre, des pierres debout. Malheureusement, il y a aussi une grosse société d'exploitation de carrières qui veut creuser toute la colline par en dessous.

— Par en dessous ? répéta Indigo.

— Ouais.

— Mais alors, le sommet va s'effondrer ?

— Mais oui, tout le sommet va s'effondrer, répon-dit Derek en souriant. C'est pour ça qu'on est là. On campe sur place pour manifester notre désaccord !

Après son départ, quand Ève fut allée faire les courses, Rose demanda à Indigo :

— Ça veut dire quoi : on campe pour manifester notre désaccord ?

— Ça veut dire que des gens se rassemblent pour montrer qu'ils ne sont pas d'accord, expliqua Indigo. Ils protestent contre des choses qu'ils ne trouvent pas bien. Plutôt que de s'en accommoder.

— Ah, dit Rose. Eh bien, je sais un truc contre lequel tu devrais protester parce que ce garçon dans ma classe qui a un frère dans la tienne m'a raconté...

— Je ne veux pas savoir qu'il a dit ! l'interrompit Indigo d'un air fâché. Arrête d'écouter ce que raconte ce garçon !

— Je voulais juste dire que Tom et toi, vous pourriez aussi protester !

Indigo regarda la pluie qui tombait sans arrêt et ne put s'empêcher de rire.

— Comme Derek, ajouta Rose qui expliqua tranquillement : C'est pour ça qu'il est toujours couvert de boue.

— Je crois qu'il vient ici pour se réchauffer, intervint Safran. Ce mec et sa bande, ils t'ont encore embêté, Indigo ?

— Non.

— Ils n'ont pas intérêt ! Je ne savais pas que tu étais ami avec Tom.

Indigo s'apprêtait à dire que lui non plus n'était pas au courant, mais il se ravisa. Ils pouvaient devenir amis. Ils étaient du même côté. Pourquoi ne pas être amis ?

— Pourquoi on serait pas amis ? dit-il tout fort à Saffy.

— Y a pas de raison ! répondit gaiement Safran.

Le vendredi, Indigo alla au collège avec cette idée en tête.

Durant toute la matinée, le temps ne fit qu'empirer et, à l'heure du déjeuner, il faisait si mauvais qu'il n'était pas question de sortir. La classe d'Indigo, considérée comme des élèves agréables et responsables, eut le droit de rester à l'intérieur sans surveillance jusqu'à la reprise des cours.

Lorsque Indigo eut terminé de déjeuner et revint dans la classe, presque tous les élèves s'y trouvaient. Dès qu'il franchit la porte, il comprit qu'il y avait des ennuis dans l'air. Le chef rouquin le guettait. Indigo, comme prévu, saisit ces quelques mots prononcés tranquillement : « Pas lui. Levin. »

Des yeux, il chercha Tom. Il était près d'une fenêtre, à amuser son public comme d'habitude. Il paraissait maîtriser la situation, lançant une balle au hasard dans la foule des suivistes pour la rattraper adroitement chaque fois qu'on la lui renvoyait.

— Si tu loupes la balle, elle ira droit dans la vitre, le prévint le chef rouquin.

— Qu'est-ce que ça peut te faire ! répliqua Tom, les sourcils levés en signe de mépris.

Il lui lança la balle en pleine tête. Le rouquin la rattrapa et la renvoya avec précaution, comme s'il était inquiet. Tom, l'air agacé, fourra la balle dans sa poche. Manifestement, le jeu n'avait plus d'intérêt si on ne risquait pas de casser un carreau.

Indigo se détendit, puisque la balle était en sûreté. Un des suivistes, désireux de profiter encore du spectacle, s'écria :

— Hé, Tom ! Parle-nous de ta mère ! Comment vont les ours ?

Agacé, Tom haussa les épaules et traversa la salle

pour aller s'asseoir. Juste sous le nez d'Indigo, le chef rouquin tendit un bras et ôta la chaise.

Tom s'assit sur rien ; le choc fut assourdissant et toute la salle éclata d'un rire tonitruant.

Tom poussa un grognement. Blême, il se plia en deux, pris de haut-le-cœur, et se frappa le front contre les genoux. Indigo se laissa choir à côté de lui et serra ses épaules tremblantes.

— N'essaie pas de bouger ! dit-il en hâte. Mets la tête en bas !

Des larmes de douleur et de colère ruisselaient sur les joues de Tom.

— Embrasse-le mieux que ça, Indigo ! s'exclama le chef rouquin.

— Cours chercher ta sœur ! suggéra quelqu'un d'autre.

Tom se libéra de l'étreinte d'Indigo et se redressa en vacillant. Il regarda autour de lui et s'efforça de parler à deux reprises, mais pas un son ne sortit. Oscillant d'une table à l'autre, il se dirigea vers la porte. Indigo passa devant lui pour lui frayer un chemin à travers les élèves qui ricanaient et l'aida à sortir.

Personne ne les suivit tandis qu'ils descendaient l'escalier et prenaient un couloir. Tom était pâle et couvert de sueur ; il marchait en silence, comme s'il était seul.

Ils arrivèrent devant une petite porte de service qui menait à l'extérieur, sur l'arrière de l'établissement. Tom, étourdi, eut du mal à l'ouvrir. Indigo le suivit dehors et le regarda aspirer l'air humide, appuyé contre un mur.

— Que veux-tu faire ? demanda-t-il quand, enfin, Tom put respirer plus librement. Je te raccompagne chez toi si tu veux. Ou on va chercher de l'aide.

— Laisse-moi tranquille. Je n'ai besoin de personne.

— Pas question que je te laisse tout seul.

Tom haussa les épaules et se détourna.

Ils se trouvaient dans la cour de derrière, une des parties les plus sinistres du collège, et l'humidité de ce jour gris n'arrangeait rien. D'un côté, il y avait les cuisines et le réfectoire. Non loin, une vieille échelle d'incendie, un escalier métallique en colimaçon. La dernière marche était barrée par une chaîne et l'accès en était strictement interdit. Tom se dirigea vers l'échelle et entreprit de passer par-dessus la chaîne. La pluie se remit à tomber très fort, noircissant en un clin d'œil le dos de son T-shirt.

Indigo vit les épaules de Tom frissonner puis se mettre à trembler.

— Tiens, dit-il en ôtant sa veste et en la lui tendant.

Tom n'eut pas l'air de s'en apercevoir. Même lorsque Indigo vint s'installer à côté de lui, il ne leva pas les yeux. Il ne fit pas un geste quand Indigo se pencha pour lui poser la veste sur les épaules.

L'averse s'arrêta et laissa place à la bruine. Derrière eux, on entendit la sonnerie, des bruits de course, des portes qui s'ouvraient et se fermaient.

— Je vais aller chercher ton manteau et tes affaires,

dit Indigo quand il apparut que Tom avait l'intention de passer l'après-midi courbé sous la pluie, sur l'échelle d'incendie. Je ferai le plus vite possible. Après, on rentre.

Tom ne bougea pas.

Dans la classe, le cours d'anglais avait commencé. On avait prévenu le professeur que Tom était malade et que Indigo l'avait accompagné dehors, sans autres détails.

— Tom va mieux ? s'enquit-il en voyant Indigo faire irruption dans la salle.

Cette question appelait bien trop de réponses.

— Il veut sa veste, se contenta de dire Indigo en la prenant sur le dossier d'une chaise.

Une balle en caoutchouc rouge tomba d'une des poches, il se pencha pour la ramasser.

— Il a aussi besoin de ça ? s'enquit le professeur d'un ton plutôt narquois, car il n'admirait guère le talent de Tom.

— Oui.

— Quelqu'un s'occupe de lui ?

— Oui, répondit Indigo, estimant qu'il s'en occupait, lui.

— Alors s'il te plaît, assieds-toi ! Tu as perdu assez de temps ! Le cours est presque terminé. Tom pourra se débrouiller sans sa veste quelques minutes de plus, j'en suis sûr !

— Mais j'ai dit que j'allais la lui chercher !

— Assieds-toi s'il te plaît, Indigo ! Et note les devoirs inscrits au tableau. Après, tu pourras y aller.

Furieux, Indigo obéit. De l'autre côté de l'allée, le chef rouquin se pencha pour chuchoter :

— Tu devrais faire plus attention, Casson ! Tu vas finir par faire mal à quelqu'un à retirer les chaises comme ça !

Indigo fit volte-face, hors de lui. À l'autre bout de la salle, le professeur cria brutalement :

— Qu'est-ce qui se passe, là-bas ?

— Indigo est un peu inquiet, expliqua le chef de bande. À cause de Tom. En s'asseyant, Tom a raté la chaise et Indigo n'a pas pu s'empêcher de rire...

— Quelle blague idiote et dangereuse ! s'exclama le professeur. Pourquoi personne ne m'en a parlé ? Où est Tom maintenant ?

— Il va bien, monsieur, répondit poliment le chef de bande. Je l'ai vu quand je suis sorti chercher vos livres. Il y avait quelqu'un avec lui.

Il jeta un rapide coup d'œil à Indigo comme pour lui dire : C'est moi qui contrôle la situation.

La cloche sonna dans le couloir.

— Partez à votre prochain cours, ordonna le professeur en regardant les visages attentifs des élèves. Indigo, reste ici !

La classe se dispersa sans faire de bruit.

— Je n'ai pas retiré la chaise de Tom !

— Quelqu'un t'a accusé ?

— Et je n'ai pas ri non plus !

— J'espère bien que non. Tu sais, Indigo, que dans cette école, les mauvais traitements sont strictement interdits ?

— Oui, mais...

— Ainsi que les bagarres. Regarde tes mains.

Indigo s'aperçut qu'il avait les mains levées, les poings serrés. Il les baissa lentement.

— Voilà qui est mieux. Tu t'es disputé avec Tom ?

— Non. Tom est mon ami.

— Je suis heureux de l'apprendre. Préviens-le que je veux le voir avant la fin de la journée, s'il te plaît.

— Oui, monsieur, répondit Indigo, désireux de s'esquiver au plus vite.

Le professeur hocha la tête et partit en hâte vers le cours suivant. Indigo se mit à courir dans le couloir.

Un coup d'œil à travers la porte de la cour lui apprit que Tom était parti.

— T'as perdu ton petit copain, Casson ? demanda le rouquin, épaulé par une troupe de suivistes.

— Oh fous-moi la paix ! cria Indigo.

— Compte sur nous ! répliqua quelqu'un. Compte sur nous !

Leurs rires résonnèrent.

Indigo attendit qu'ils soient partis pour rouvrir la porte. Tom n'était nulle part en vue, mais la veste qu'il lui avait prêtée pendait sur la chaîne barrant l'échelle d'incendie.

Indigo sortit la récupérer.

Tom l'avait repliée pour que l'intérieur reste sec. Il aurait pu la jeter de colère en tas mouillé, mais il ne l'avait pas fait.

La pluie qui était tombée toute la journée s'était

enfin arrêtée et, brusquement, alors qu'Indigo était planté là, le soleil apparut.

Des éclats de lumière se reflétèrent dans les flaques de la cour, éblouissant Indigo. Ce soleil inattendu lui rendit soudain sa bonne humeur. Il enfila sa veste et partit à la recherche de Tom.

6

Indigo chercha dans toute l'école, mais il ne put retrouver Tom nulle part ce vendredi après-midi. Il finit par renoncer et reprit le car avec Sarah et Safran. Ils entrèrent tous les trois dans la cuisine au moment où Rose raccrochait brutalement le téléphone.

— C'était qui ? demanda Safran.

— Cet imbécile de papa.

— Oh ?

— Qui me parlait de soupe. Il dit que je lui ai écrit une lettre qui ne parlait que de soupe. C'est pas vrai. Je n'ai mis ça qu'à la fin. C'était pas l'important. De toute façon, il vient pas. Alors.

— C'est pas grave, Roserosette, dit Sarah pour la consoler.

— Je m'en fiche ! C'est très bien ! Voilà ce que je dis ! C'est la veste de qui, ça, Indigo ?

— Celle de Tom. Il l'a laissée au collège. Je vais la lui rapporter.

— Je peux t'accompagner ? Il habite où ?

— Je sais, intervint Sarah. Dans la maison avec les ifs, à côté de mon ancienne école. Sa grand-mère bavarde avec ma mère de temps en temps. Elle a transformé sa maison en pension pour chats. C'est bourré de chats.

— Si c'est une pension pour eux, observa Safran en déversant une énorme pile de devoirs sur la table de la cuisine, c'est normal que ça grouille de chats ! Par quoi on va commencer, Sarah ? Français ? Espagnol ? Maths ? Pas les maths. On les fera sur ton ordinateur, après avoir emmené Rose en ville.

— Je veux pas qu'on m'emmène en ville, dit Rose avec ingratitude. Je veux aller avec Indigo.

— Pas maintenant, expliqua Safran. Demain matin. Pour faire vérifier tes lunettes. La mère de Sarah a dit qu'il fallait le faire et la nôtre a accepté.

— Ça sera amusant, dit Sarah. On ne sait jamais ce qui peut arriver ! Mais va avec Indy maintenant, pendant que Safran et moi, on s'y met. Allez, Saffy ! On commence justement par le pire ! Les maths. Voyons si on réussit à finir avant qu'ils reviennent. S'ils reviennent ! J'avais toujours peur de cette maison quand j'étais petite. Je ne sais pas pourquoi.

— Ça fiche la trouille ! dit Rose.

Du trottoir, elle observait la maison de Tom pendant qu'Indigo lisait à haute voix le panneau près de la porte.

LES IFS
PENSION POUR CHATS
AMOUR, CONFORT ET BIEN-ÊTRE
DANS UN DÉCOR LUXUEUX
Réservé aux chats vaccinés

— Ça fiche vraiment la trouille ! insista Rose, cramponnée au paquet qui contenait la veste de Tom et son cartable.

— C'est simplement tranquille, dit Indigo qui en son for intérieur était d'accord avec Rose.

De la rue, tout ce qu'on pouvait voir, c'était des ifs sombres surplombés de hautes cheminées, mais quand Rose et Indigo prirent l'allée pleine de mauvaises herbes, ils aperçurent un jardin aussi mal entretenu que celui des Casson.

— Et c'est bourré de chats, remarqua Rose.

C'était vrai. Ils étaient observés par au moins une demi-douzaine de paires d'yeux vert doré qui clignaient dans l'ombre. À mi-parcours, ils aperçurent une silhouette près de la maison.

— Ce doit être la grand-mère de Tom, dit Indigo. On ferait mieux d'aller lui dire bonjour. Viens. Souris. Sois polie... Bonjour, madame Levin ?

— Oui. Que voulez-vous ?

— On dirait un zoo de chats ici. Y a des chats partout, remarqua Rose en souriant poliment.

— Et qui donc êtes-vous ? s'enquit la grand-mère de Tom en dévisageant intensément les deux enfants.

— Je m'appelle Indigo Casson, expliqua celui-ci en posant la main sur l'épaule de Rose pour la faire taire. Tom est dans ma classe. Nous lui rapportons quelques affaires qu'il a laissées cet après-midi. Je vous présente ma petite sœur, Rose.

— Ta petite sœur ? répéta la grand-mère de Tom en regardant à nouveau Rose. Mais c'est très intéressant ! Il faut que je prévienne Tom !

— Il est là ?

— Je l'ignore, répliqua sa grand-mère d'une voix agacée. Il va et vient à sa guise. Aucun sens des responsabilités... exactement comme sa mère... Il vous a parlé de sa mère ?

— Les ours ? demanda Rose avec espoir.

— Les ours ! répéta la grand-mère avec mépris. Je vous demande un peu ! À son âge ! Vraiment...

— Vous n'aimez pas les ours ? demanda Rose en gigotant sous la main d'Indigo.

— Bien sûr que j'aime les ours, répondit Mme Levin en regardant Rose comme si quelque chose l'amusait. Mais pas à l'exclusion de tout autre chose ! Bon, désolée, mais j'ai à faire. Je dois m'occuper des chats. Sur le côté, la porte n'est pas fermée. Entrez et appelez Tom si vous voulez.

Elle leur adressa un petit signe de tête puis se dirigea vers une rangée d'enclos faits de parpaings et de grillage à l'arrière de la maison.

— C'est une sorcière, dit Rose sans attendre.

— Rose !

— Pauvre Tom !

— Et si elle t'a entendue ?

— Alors, elle saura que je sais. Écoute ! Écoute une minute !

Indigo, qui entraînait fermement Rose, s'arrêta.

— De la musique ! s'écria Rose.

On avait l'impression que ça venait de très haut, au-dessus d'eux, une phrase mélodique soutenue par des accords, ça se répétait, ça s'arrêtait... puis ça recommençait, avec application.

— Quelqu'un joue quelque chose, chuchota Rose.

Des notes isolées résonnèrent, rapides comme une pluie d'étoiles.

— C'est un morceau ! s'écria Rose, transportée.

Puis la mélodie reprit, plus forte, plus claire.

— Je crois que c'est une guitare, dit Indigo. C'est sans doute Tom.

Le plus doucement possible, Rose et lui se dirigèrent vers la maison.

— J'y vais, chuchota Rose.

La musique s'interrompit lorsqu'ils ouvrirent la porte, puis reprit, mais très lentement, une note après l'autre, comme si le joueur de guitare était aux aguets.

— Tom ! appela Indigo.

La musique s'arrêta et le silence leur tomba dessus comme un bloc de pierre.

Du jardin, la grand-mère de Tom cria :

— Tom est dans la chambre tout là-haut, si vous voulez monter.

— Merci ! répondit Indigo, qui attrapa Rose et lui dit : Non, Rose ! Ne monte pas !

— Pourquoi ? Elle a dit qu'on pouvait y aller !

— Il sait qu'on est là. S'il voulait nous voir, il serait descendu.

— Mais j'ai sa veste et son cartable ! Lâche-moi. Je frapperai. Je rentrerai pas comme ça.

Avant qu'Indigo ait pu la retenir, elle avait filé dans l'escalier et frappait déjà à la porte. Le battant s'ouvrit sous sa poussée et elle vie la chambre de Tom : nue, bien rangée et vide. Pas de Tom, pas de guitare, rien que le vent qui soufflait par la fenêtre ouverte.

— Pose ses affaires et redescends immédiatement ! ordonna Indigo.

Il fit demi-tour sans lui laisser le temps de discuter. Rose obéit. Parvenu au bout de l'allée, il l'entendit courir pour le rejoindre.

— Ne sois pas fâché ! dit-elle. Je voulais juste le voir.

— Je sais.

— Je me demande où il est.

Comme pour lui répondre, quelques notes s'égrenèrent du ciel.

Indigo mit un doigt sur ses lèvres pour faire taire Rose et se retourna pour scruter la vieille maison grise derrière son écran d'arbres. Au bout d'une minute, il trouva ce qu'il cherchait et fit signe à Rose de regarder.

Rose suivit la direction de son doigt, mais ne vit rien d'inhabituel.

— Il est tout là-haut, murmura Indigo. Sur ce petit toit plat au-dessus du porche... Écoute !

Les notes isolées se rapprochèrent pour devenir le motif d'une mélodie élaborée.

— Il chantonne ! chuchota Rose. Il joue de la guitare en chantonnant sur le toit. C'est ça ?

Indigo hocha la tête.

Ils écoutèrent jusqu'à la fin de la mélodie, les derniers échos de la guitare.

— On rentre, Rose ! finit par dire Indigo. On est partis depuis une éternité.

— J'adore les gens qui jouent de la guitare sur les toits ! s'exclama Rose en sautillant sur le trottoir, en proie à un de ses brusques accès de gaieté. Pas toi ?

— Je n'ai jamais rencontré personne d'autre qui le fasse !

— Tu n'aimes pas Tom ?

— Bien sûr que si. Mais je ne sais rien des autres joueurs de guitare sur les toits ! Ils sont peut-être épouvantables, mis à part cette très bonne chose. Jouer de la guitare sur un toit... Ou de la cornemuse. Ou de la batterie... Ça plairait à Sarah, et Saffy prendrait la cornemuse ! Je verrais bien Caddy avec une harpe... Et maman ?

— Une calebasse remplie de haricots ! s'exclama aussitôt Rose. Et papa, un grand piano. Sur un toit plat. Avec un balcon et des corbeilles de fleurs roses ! Moi, j'aurais une trompette qui fait beaucoup de bruit ! Et toi ?

— Moi, j'écouterais, répondit Indigo.

Le lendemain matin, Rose alla en ville avec Safran et Sarah. Sarah, qui ne pouvait marcher que sur des courtes distances, était dans son fauteuil roulant. Ce jour-là, elle était déchaînée et fonçait comme une folle en criant « Plus vite ! » Le trajet se transforma en sarabande effrénée où elles s'arrêtaient, hors d'haleine, pour extraire le fauteuil des obstacles variés dans lesquels il était entré par erreur. Rose passa un excellent moment.

Cependant, dès qu'elles arrivèrent dans le centre, les choses changèrent. Safran et Sarah étaient des acharnées du shopping. Il fallut visiter une à une toutes leurs boutiques préférées et chaque nouvelle marchandise fut soumise à un examen détaillé et critique. Elles avançaient de plus en plus lentement. Le temps d'arriver devant le grand magasin où il y avait l'opticien, Rose était morte d'ennui.

On vérifia une fois de plus les yeux et les lunettes de Rose et on lui confirma qu'elles étaient exactement adaptées à son cas.

— Mais elle dit qu'elle ne voit rien avec ! protesta Safran.

— C'est pas vrai ! dit Rose. J'ai dit que j'y voyais trop bien. De toute façon, je veux pas les changer. Elles marchent très bien dans le noir.

— Tu vas finir par t'y habituer, dit gentiment l'opticien.

Il se tourna vivement vers Sarah, en train d'examiner un présentoir de lunettes de soleil italiennes, au cas où l'été reviendrait un jour.

Rose s'approcha de la vitrine et c'est alors qu'elle entendit Safran dire à Sarah, comme si de rien n'était : « Voilà Tom, le copain d'Indigo », en désignant un garçon qui traversait la rue juste devant le magasin.

— Mmmmm, dit Sarah. Regarde celles-là. Rouge laqué. Trop rouges ?

— Pas sûr. Je vais les essayer.

— Beaucoup trop rouges. Essaie plutôt celles avec les petites taches dorées...

Rose se glissa vers la porte. Safran et Sarah, complètement absorbées dans les étiquettes de marques, n'y prirent pas garde.

Rose sortit du magasin. Puis elle se fraya un chemin sur le trottoir bondé, regarda derrière elle pour vérifier qu'elle n'avait pas été suivie et fonça pour traverser. Six files de voitures, la circulation d'un samedi matin !

Les voitures freinèrent, les klaxons résonnèrent, les gens crièrent et un chauffeur de bus fit un écart en jurant. Sur le trottoir de l'autre côté, Tom se retourna pour voir ce qui provoquait une telle agitation. Pile au bon moment pour cueillir Rose qui atterrissait triomphalement devant lui.

Du haut d'un échafaudage proche, un petit groupe d'ouvriers se mit à applaudir.

Tom leva les yeux vers eux avec un sourire bref et involontaire. Rose, indifférente, sourit de toutes ses dents à Tom en annonçant :

— Je voulais te voir !

— On dirait bien que t'as réussi ! acquiesça Tom en se tournant vers la rue où la circulation commençait à peine à se rétablir. Tu traverses toujours comme ça ?

— J'étais pressée !

— Il doit bien y avoir quelqu'un dans les parages censé s'occuper de toi, non ?

— Je n'ai besoin de personne ! rétorqua Rose avec mépris.

— Je parie que tu as échappé à la surveillance de ta mère !

— Non. Elle est à la maison.

— Elle sait que tu es ici ?

— Bien sûr.

Tom renonça. Manifestement, Rose avait une famille très négligente, mais ce n'était pas son problème. Il reprit son chemin. Rose sautillait gaiement à côté de lui.

— Où tu vas ? demanda-t-elle.

— Dans le magasin de musique, au coin de la rue.

— Pour acheter quelque chose ?

— Seulement pour regarder.

— Très bien, dit Rose.

Tom s'arrêta à nouveau devant le magasin.

— T'es toujours là, Miss Inconnue ?

— Je m'appelle Rose, répondit Rose, très surprise qu'il ne sache pas cela. Indigo, c'est mon frère.

— Ooooh, dit Tom qui commençait à comprendre.

— On est venus chez toi hier soir, pour te rapporter ta veste et ton cartable.

— Oui. Merci.

— Et on t'a entendu jouer. Sur le petit toit au-dessus du porche.

Rose passa devant Tom pour regarder la vitrine, qui était remplie de guitares debout sur des présentoirs.

— Laquelle ressemble à la tienne ? reprit-elle.

— Aucune.

— On a vu ta grand-mère.

— C'est une sorcière, répondit Tom d'un air distrait en scrutant le fond de la boutique plongé dans l'ombre.

— J'en étais sûre. Et les chats aussi.

— Ouais, les chats aussi.

— C'était joli, ta guitare...

— C'est une guitare inutile, dit Tom, brusquement abattu. La pire qu'on puisse trouver. Celle que je veux, c'est celle-là. Celle qui est accrochée sur le mur, tout au fond. Tu la vois ?

— La noire ?

— Oui. La semaine dernière, je suis entré deux fois pour l'essayer. J'avais peur qu'elle ait été vendue.

Rose hocha la tête et Tom eut l'impression qu'elle comprenait à quel point cela aurait été grave. Il poussa la porte du magasin et elle le suivit, comme si essayer des guitares faisait partie de ses activités habituelles du samedi matin.

L'homme derrière le comptoir reconnut Tom et s'avança en souriant.

— La même que l'autre fois ?

— Oui, s'il vous plaît, répondit Tom.

La guitare noire fut descendue. Tom la prit et trouva un tabouret libre, réservé aux gens qui voulaient essayer les instruments. Il se mit à jouer.

Personne ne prêtait la moindre attention à Rose.

Ça lui était bien égal. Elle dénicha un autre tabouret et s'assit dans un coin pour écouter, car le fond du magasin fourmillait d'accords, de mélodies et de notes fredonnées. Elle avait déjà compris pourquoi Tom voulait la guitare noire. Les sons qu'elle entendait étaient infiniment plus clairs et plus puissants que ceux de la veille.

Il s'écoula un long moment, au moins une demi-heure, avant que le vendeur revienne en tendant silencieusement la main.

— Je viens de te faire une fleur, dit-il. J'ai refusé de la vendre. Je lui ai dit qu'elle était déjà vendue.

— Merci.

Tom se leva lentement du tabouret et détacha la sangle sur son épaule.

— C'est une trop bonne affaire pour que ça traîne longtemps. Si tu pouvais laisser des arrhes, je te la mettrais de côté.

— Je le ferais si je le pouvais, répondit Tom en secouant la tête.

— Bon, tu vas peut-être trouver un moyen, dit le vendeur, l'air presque aussi navré que Tom en raccrochant la guitare noire à sa place. La prochaine fois, ne joue pas aussi bien !

Tom sourit et se dirigea vers le comptoir où il choisit deux mediators en plastique dans une boîte près de la caisse. Le vendeur secoua la tête en voyant le billet d'une livre qu'il lui tendait et déclara que c'était un cadeau de la maison.

— C'est sûr ? s'enquit Tom.

— Oui. Reviens quand tu veux.

— Merci.

— Combien coûte la guitare noire ? demanda Rose qui n'avait pas ouvert la bouche depuis une éternité.

— Quatre cent cinquante livres, répondit le vendeur.

— Oh.

— Ça devrait être plus, mais ici, on n'a pas la clientèle. Neuve, elle coûte plus de mille livres.

Rose ne dit plus rien, mais, dans la rue, elle s'arrêta pour regarder encore une fois la vitrine.

— Une de celles-là ne ferait pas l'affaire ?

— Non, répondit Tom.

— Bon, dit Rose en soupirant. Et maintenant, qu'est-ce qu'on fait ?

— Je ne sais pas, répondit Tom, à qui le « on » fit un peu hausser les sourcils.

Il regarda autour de lui, scruta le ciel, qui était d'un bleu pâle et froid, chargé de nuages qui couraient.

— Cette ville est tellement plate, dit-il, énervé. Allons quelque part en hauteur.

Safran et Sarah, de plus en plus affolées, fouillèrent le grand magasin. Puis les boutiques de la rue. Puis le marché. Toutes les trois minutes, Sarah sortait son téléphone portable pour appeler chez Safran. Personne ne répondait. Indigo était dans le jardin, en train de nettoyer la collection de cochons d'Inde que Caddy avait dû abandonner à regret lorsqu'elle était partie à l'université. Ève était dans la cabane, occupée à recouvrir le fond d'une toile avec un échantillon de papier peint parce que l'acheteur exigeait un tableau qui s'harmonise avec des rayures vert menthe. Elle était très contente que Bill ne vienne pas ce week-end. Elle imaginait trop bien ses commentaires. Pas exactement de l'art.

Bill lui-même était à une exposition à Londres.

« Un cocktail pré-vernissage, chérie, avait-il expliqué (pas à Ève). J'y rencontrerai peut-être quelqu'un d'utile.

— Vas-y alors, chéri », avait répondu Chérie.

Caddy était également à Londres, en train de manifester pour la paix avec un nouveau petit ami provisoire (Patrick, totalement inoffensif. Il plaira à maman). Manifester pour la paix, c'était plutôt lent comme rythme, alors Caddy faisait passer les moments ennuyeux en composant dans sa tête une autre lettre pour Michael (*Michael chéri chéri...*)

On savait également où se trouvait Michael. Il suivait un cours de secourisme ; cela s'avérerait sûrement utile un de ces jours, lorsque Caddy, dont l'avenir était lié au sien, aurait réalisé ses projets ambitieux : travailler dans une réserve de gros gibier, dans un endroit chaud.

Même Derek-le-militant se trouvait là où il devait être ; plus ou moins installé dans son sac de couchage, il dessinait dans les marges de sa thèse (« La physique et le paranormal »). Il pouvait s'agir de Caddy ou de Ève. Il n'était pas doué en dessin.

Seule Rose n'était pas là où elle aurait dû être.

Safran et Sarah explorèrent les boutiques de fournitures pour artistes de la ville. La boutique chic fréquentée par Bill quand il était contraint d'acheter du matériel en dehors de Londres (« Si on veut de la qualité, il faut s'attendre à en payer le prix ») et la boutique minable (qui vendait aussi des cartes d'anniversaire, des feux d'artifice et des montres incroyablement bon marché), où allait toujours Ève parce qu'on y faisait des réductions incroyables sur les tubes de peinture écrasés.

Rose n'était dans aucun de ces deux endroits.

Rose était avec Tom. Au dernier étage du parking, ils se tenaient debout sur le coffrage en béton qui recouvrait le tuyau d'aération. Il n'y avait personne. Personne ne montait jamais se garer là-haut, sauf dans les semaines précédant Noël.

Rose se sentait tout à fait en sécurité. Si elle tombait, elle se retrouverait deux mètres plus bas, dans le parking. Elle était en train de raconter à Tom à quel point Indigo avait peur de l'altitude et comment il avait presque réussi à se guérir, mais pas tout à fait, en descendant en rappel de la fenêtre de sa chambre.

De tout là-haut, Rose et Tom avaient une vue plongeante sur la place du marché. Ça paraissait magnifiquement organisé. Les gens (pour Rose, un flou coloré qui bougeait) semblaient suivre sans hésiter des chemins tout tracés entre les étals. Tom désigna les amateurs de skateboard, expliquant qu'il les contrôlait avec sa télécommande invisible et programmable réservée aux skates. Tout le monde avait ça en Amérique, raconta-t-il à Rose, et c'était très pratique. Les parents enregistraient leurs enfants dedans et les envoyaient tourner dans le square des heures durant, en parfaite sécurité. Heureuse, Rose l'écoutait, riant aux bons moments sans l'interrompre trop souvent. Tom s'aperçut qu'elle lui plaisait de plus en plus. Ça faisait bien longtemps qu'il n'avait pas eu un public aussi peu critique.

Rose ne rentra chez elle que tard dans l'après-midi. Elle n'en arriva pas moins avant Safran et Sarah, qui, désespérées, étaient allées au commissariat. Elles avaient réussi à perdre non seulement Rose mais également le téléphone portable de Sarah. Une femme policier téléphona donc à la maison et Ève, qui était sortie de sa cabane, répondit tout de suite.

— Mais Rose est ici. Avec moi. Elle est rentrée il y a quelques minutes. Elle a trouvé le chemin de la maison toute seule. Elle est en train de dessiner... Qu'est-ce que tu dessines, Rose chérie ?

— Tom sur le toit, répondit Rose.

— Elle dessine Tom sur le toit, répéta Ève qui se montrait la plus coopérative possible parce qu'après tout il s'agissait de la police. Avec des pastels. Pas de glycéro.

— Je me sers de glycéro, rectifia Rose. Pour les reflets.

— Un peu de glycéro, convint Ève d'un ton penaud et elle aurait continué à jacasser ainsi pendant des heures si la femme policier ne l'avait fait faire taire avec diplomatie.

Indigo, qui avait entendu le récit que Rose avait fait de son après-midi, vint voir son dessin.

— Alors Rose, il t'a plu, Tom ?

— Oui.

7

— J'ai vraiment besoin de plus de prises électriques dans ma cabane, annonça Ève.

Elle acheta une immense rallonge avec trois prises au bout. Après l'avoir branchée sur l'interrupteur branlant où il y avait déjà la machine à laver, elle fit passer le fil par la fenêtre de la cuisine et tout le long de l'allée jusqu'à sa cabane, l'enroulant intelligemment autour des poteaux de la corde à linge pour lui éviter de traîner par terre.

— Heureusement que je suis un as du bricolage ! déclara-t-elle avec joie aux cochons d'Inde qui l'observaient de leur clapier au fond du jardin.

La rallonge atteignit la fenêtre de la cabane. Ève brancha triomphalement un radiateur électrique, une bouilloire et la lampe en fibre optique que les Jeunes

Délinquants, à qui elle enseignait le dessin, lui avaient offert pour Noël.

— Somptueux ! dit Ève en allumant le tout.

La bouilloire déborda et inonda le radiateur, dans la cuisine des flammes bleues jaillirent de la prise branlante et toutes les lumières s'éteignirent. Rose écrivit une autre lettre terrifiante à son père.

Papa chéri,

C'est Rose.

Alors les flammes sont montées sur le mur de la cuisine. Safran a appelé les pompiers et la police est venue voir si c'était une blague et la femme policier a dit à Safran c'est encore vous à cause de la fois où je me suis perdue quand on est allées vérifier mes lunettes. Mais j'étais avec Tom qui a une grand-mère sorcière tout en haut du plus haut bâtiment de la ville.

Bisous de Rose.

Cela prit beaucoup de temps à Rose, mais elle savait que ça en valait la peine. Son père n'avait plus le choix, il allait foncer à la maison vérifier l'état du mur de la cuisine, des registres de la police sur les enfants disparus, de la grand-mère de Tom et si l'endroit le plus haut de la ville était dangereux. Elle attendit son appel avec une grande impatience, se jetant systématiquement sur le téléphone. Enfin, ce fut lui.

— Mais voyons, Rose ! dit son père sans ambages.

J'ai reçu ta lettre ! Qu'est-ce que c'est que cette histoire, tu es allée faire vérifier tes lunettes ?

Rose, qui était la reine du raccrochage brutal, raccrocha brutalement une fois de plus.

La deuxième semaine du trimestre démarra : pour Indigo et Tom, elle fut aussi mauvaise que la première. Un matin, dans le couloir des langues, on trouva quatre fenêtres cassées et une balle, très semblable à celle que Tom trimballait partout, fut retrouvée sur la scène du crime.

Tom fut convoqué dans le bureau du proviseur ; on lui posa tout un tas de questions, et pas seulement sur les fenêtres.

Tom était-il malheureux ? s'enquit le proviseur. Y avait-il quelque chose dont il souhaitait parler ? Tom séjournait en Angleterre, d'après ce qu'avait compris le proviseur, de sa propre volonté. N'avait-il pas envie que cette expérience soit un succès ? Par exemple, avait-il réussi à se faire des amis ?

Tom, à part affirmer d'une manière on ne peut plus désinvolte qu'il n'était au courant de rien quant à ces fenêtres cassées, ne réagit à aucune de ces remarques. Il regardait le proviseur d'un œil morne et plein d'ennui, l'air de quelqu'un qui attend sans rien faire que la pluie arrête de tomber.

Dans sa poche, il y avait un petit mot de Rose remis la veille par Indigo.

Cher Tom,

Elle est toujours là. On a fait une sortie avec la classe pour étudier la circulation sur la place du marché alors je suis allée au coin de la rue j'ai regardé et elle était toujours là.

Bisous,

Rose.

Depuis que Tom était arrivé en Angleterre, il n'avait encore écrit à personne. Ni à ses amis chez lui, ni à sa mère (qui travaillait dur au milieu des ours dans le parc national de Yellowstone) ni même à son père dont il parlait tant.

Mais il avait répondu à Rose.

Merci. Je vais retourner la voir samedi. Tom.

Indigo avait fait le facteur sans broncher.

Tom se rendait compte qu'Indigo n'était pas l'idiot qu'il paraissait être au premier abord. S'il s'était intéressé à Rose, c'était en partie parce qu'elle était la petite sœur d'Indigo. Selon Tom, les petites sœurs comptaient parmi les pires calamités familiales. Le samedi, quand il avait compris qui était Rose, il avait ralenti pour la regarder avec cette même fascination horrifiée que lorsqu'on ralentit pour contempler un accident de la route. S'attendant au pire.

Au fond de sa poche, ses doigts touchèrent le petit mot. Il devina que cela n'avait pas dû être facile pour elle de s'échapper de la sortie scolaire pour aller voir le magasin de musique. Cela le fit sourire de l'imaginer. Il avait gardé sa lettre, comme il aurait gardé un message de n'importe quel ami.

— Tu m'écoutes, Tom ? cria le proviseur sèchement.

Tom s'arracha à ses pensées, abandonnant Rose, Indigo et la guitare noire. Il s'apprêtait à gratifier le proviseur d'un de ces lents haussements d'épaules parfaitement insolents quand on frappa à la porte du bureau.

— Attendez dehors, s'il vous plaît ! cria le proviseur qui répéta aussitôt : J'ai dit ATTENDEZ DEHORS ! en voyant la porte s'ouvrir.

À l'immense surprise de Tom, Indigo apparut.

Sans excuse et sans préambule, Indigo déclara :

— Tom n'a pas cassé ces vitres. Réfléchissez ! Comment Tom aurait-il pu lancer sa balle par la fenêtre et ensuite la récupérer pour la lancer une deuxième fois ? À quatre reprises ? Comment aurait-il bien pu la récupérer chaque fois ? Et pourquoi l'aurait-il abandonnée sur place ensuite, sûr d'avoir des ennuis ? Il a fallu deux personnes pour casser ces vitres, l'une pour lancer la balle et l'autre pour la relancer. Et en plus, il a fallu des gens pour faire le guet.

Le proviseur fit les gros yeux à Indigo, selon sa désagréable habitude.

— Merci, Indigo ! déclara-t-il. Mes facultés de raisonnement m'avaient déjà amené à cette conclusion !

— Alors, pourquoi vous grondez Tom ? s'enquit Indigo.

— Sors d'ici, Indigo ! cria le proviseur. Dehors !

Tout de suite ! Très bien ! Et toi aussi, Tom ! Je vois que tu as au moins réussi à te faire un ami. Dehors tous les deux !

À l'étonnement d'Indigo, il se montrait soudain presque humain. Mais il les avait manifestement assez vus. Il les fit sortir de la pièce tellement vite qu'ils faillirent tomber sur la vaste foule des suivistes qui écoutaient à la porte.

— Ah ! dit le proviseur, dont les yeux lui sortirent derechef de la tête.

Tom prit une balle dans sa poche, juste sous le nez du proviseur.

Rien ne se produisit.

Tom la fit rebondir.

Le proviseur détourna les yeux.

Indignés, les suivistes se mirent à protester.

L'œil torve, Tom haussa les sourcils.

— Viens, Indigo ! dit-il, et il s'éloigna dans le couloir en faisant rebondir sa balle.

Le proviseur faisait toujours mine de ne rien voir. Alors Marcus, un suiviste particulièrement lent de la comprenette, le lui fit peu raisonnablement remarquer.

— Regardez, monsieur ! Voilà comment ces vitres ont été cassées !

— Vraiment, Marcus ? dit le proviseur d'un ton menaçant. Je pense qu'à l'avenir il serait sage de garder tes opinions pour toi !

Ce que pensaient également les amis de Marcus. Ils le coincèrent dans le quartier général de la bande pendant la récréation de l'après-midi pour le lui dire.

— Tu ne fais rien si je ne t'ai pas demandé de le faire ! ordonna le chef. Et tu fermes ta gueule tant que je t'ai pas dit de parler !

— Je vois pas pourquoi ! dit Marcus.

Ils lui expliquèrent donc.

— Maintenant, tu comprends ? demanda le chef, un peu essoufflé.

Marcus était lourd et l'explication avait exigé une telle force musculaire que le chef lui-même avait dû s'en mêler.

— Oui, marmonna Marcus, très rouge, très humide et très malheureux.

— Oui merci, lui souffla gentiment le chef.

— Oui merci, répéta Marcus.

Pourtant, il n'avait manifestement pas compris parce que le lendemain, pendant l'entraînement de foot, il attaqua Tom avec si peu de discrétion et tant de méchanceté qu'il se fit sortir du terrain.

Il dut ensuite supporter une nouvelle explication.

Après quoi, Marcus rentra chez lui et fit tellement bien semblant d'être malade que sa mère inquiète, l'autorisa à manquer les cours le lendemain. Josh, son meilleur copain, qui avait eu très peur et qui n'avait pas compris comment Marcus ne s'était pas noyé, tomba victime de la même maladie. Lui aussi resta à la maison.

Cependant, un ou deux jours plus tard, ils furent bien contraints de retourner en classe et même s'ils furent soulagés de constater qu'apparemment l'incident était oublié, leurs jours heureux de suivistes étaient terminés. Ils n'avaient plus le cœur à ça. Ils ne pouvaient pas oublier que si Marcus avait été relâché la deuxième fois, ce n'était que sur l'intervention de Tom lui-même.

Tom avait entendu les grognements et les éclaboussures conséquentes aux explications accompagnées de plongées dans la cuvette des cabinets et s'était mis à bourrer de coups de pied la porte en poussant des cris terribles.

— Arrêtez ça ou je vous tue !

Il fallut redéployer une partie de la foule des suivistes pour l'obliger à se taire et, sur ces entrefaites, Indigo Casson s'était lancé dans la bagarre. À eux deux, ils avaient fait un tel raffut qu'il avait bien fallu se résigner à hisser Marcus en terrain sec.

— Attends un peu, Levin ! ricana le chef rouquin, après. Et toi aussi, Casson !

En dépit de leur apparente victoire, Indigo était mort de peur. Le chef rouquin le vit dans ses yeux et se mit à rire.

Le regard de Tom passa de l'un à l'autre et il poussa un gros soupir.

— Attrape ! cria-t-il en lançant sa balle à Indigo.

Celui-ci la rata et la balle alla rouler dans le couloir.

— Indécrottable ! dit Tom en allant la récupérer en petites foulées. Recommence ! Mince, comment t'as pu louper un coup pareil ? Ton père ne t'a jamais appris à rattraper une balle ?

— Non, répondit Indigo en souriant à l'idée de Bill

en train de faire une chose pareille. Il ne joue pas au baseball. Il peint.

— Des maisons ?

— Des tableaux. De l'art. C'est un artiste de Londres. On ne le voit pas beaucoup.

Tom lui décocha un de ces rapides regards pleins de réflexion et demanda :

— Il ne vit pas avec vous ?

— Non, dit Indigo, formulant à haute voix ce qu'il savait pourtant depuis très très longtemps. Pas vraiment. Plus vraiment.

— Ça t'embête ?

— Ça s'est produit tellement lentement, dit Indigo. Je m'y suis habitué sans trop y faire attention. Ça embête Rose. Elle n'a que huit ans. Elle s'inquiète facilement. Ne lui raconte pas ce qui vient de se passer.

— Je ne pense pas que je la reverrai, dit Tom.

Indigo sourit. Depuis samedi dernier, Rose avait sacrément travaillé sur la fresque de la cuisine. Sarah, qui jusque-là, avait occupé une place de premier choix d'un côté de la cheminée, avait été balayée sans pitié. Elle avait réapparu, en train de bavarder avec Safran un peu plus loin sur le toit. Une silhouette sombre s'était installée à la place de Sarah, une guitare à la main.

— Je pense que tu reverras sans doute Rose, déclara Indigo.

Caddy revint à la maison le vendredi soir. Patrick-parfaitement-inoffensif la ramena dans sa vieille voiture défoncée.

— Patrick, c'est celui du chinchilla, annonça Caddy en guise de présentation.

Patrick-parfaitement-inoffensif dit :

— Salut salut ! Magnifique ! avant de s'endormir sur le canapé, une tasse de café à la main.

— Mince, Caddy ! s'exclama Indigo qui disparut à l'étage prévenir Rose.

— Charmant, murmura Ève d'un ton dubitatif.

— Épouvantable ! s'exclama Sarah d'un ton affirmatif. Le pire de ce qu'on ait vu. On touche le fond.

— Il a eu une enfance très difficile, expliqua Caddy en ôtant la tasse de café des doigts relâchés.

— Comme tout le monde ! dit Safran sans la moindre compassion. Oh là là, c'est un vieux, Caddy ! Regarde, il est en train de devenir chauve ! Tous ces cheveux longs, c'est juste pour masquer la vérité !

— Si je devenais chauve, déclara Sarah, je regarderais les choses en face et je me raserais la tête.

— Bon, j'ai pensé qu'il plairait à maman, dit Caddy d'un ton agressif. C'est un garçon sensible, c'est lui qui me l'a dit. D'après lui, il a besoin qu'on le materne. De toute façon, je peux toujours le rapporter.

— Je pense que tu vas y être obligée, Caddy chérie, dit Ève. Même s'il n'avait pas besoin d'être materné (ce qui après tout est une autre façon de dire qu'il lui faut une esclave), les gens sensibles sont tellement...

— ... Sensibles, intervint Safran.

— Bon, continua Ève, ils sont en général complètement inutiles pour les choses pratiques. Comme réparer l'électricité... De toute façon, il faut que je travaille un peu. Des chats à peindre ! Bonjour, Rose chérie ! Va voir ce que Caddy nous a rapporté !

Elle s'échappa et Rose, qu'Indigo avait déjà mise au courant des dernières nouvelles, jeta un coup d'œil sur Patrick et se mit à rire.

— Vous voyez ? dit Sarah. Rose a compris. On touche le fond du fond. Là, tu n'es pas quand même pas sérieuse, Caddy ?

— Oh, arrêtez de le regarder ! dit Caddy mal à l'aise. Je vais trouver quelque chose pour le couvrir.

— Tu comptes le laisser combien de temps ici ? demanda Rose.

— Seulement jusqu'à dimanche, répondit Caddy d'un ton qu'elle voulait badin.

— Jusqu'à dimanche ! répéta Safran. T'as laissé tomber Michael ?

— Bien sûr que non ! répliqua Caddy indignée. Je n'ai jamais laissé tomber personne !

— Faudrait commencer ! conseilla Safran. Sinon ils vont s'entasser, prendre les canapés... Allez ! Celui-là, tu t'en débarrasses immédiatement !

— Je m'en occuperai plus tard, dit Caddy en quittant la pièce.

Rose la suivit parce qu'elle souhaitait lui montrer les derniers développements de sa fresque murale. Safran et Sarah se retrouvèrent seules avec Patrick, qui s'était mis à ronfler.

— Dimanche ! grogna Safran en le regardant. Dimanche ! Je peux pas y croire !

Sa voix avait dû pénétrer dans la cervelle endormie de Patrick parce qu'il se réveilla brusquement, les yeux troubles, et marmonna :

— Dimanche ! Dimanche ! Mais kéleurkilé ?

— Presque sept heures, répondit Sarah.

— Du soir ?

— Ouais.

— Preskséteur, répéta Patrick en se prenant la tête dans la main avant de se mettre à se balancer d'avant en arrière. Et dimanche ! Faut qu'j'sois rentré dimanche !

— Quoi ?

— Ça fait combien d'temps qu'j'dors ?

— Oh ! s'exclama Safran saisie brusquement d'une inspiration diabolique. Mince, ça fait une éternité ! Profondément endormi depuis vendredi !

— On a cru que tu te réveillerais jamais ! renchérit Sarah.

— Bon... faut faut qu'j'y aille ! dit Patrick qui se retrouva tout à coup en proie à une panique au ralenti.

Il se cognait partout maladroitement, complètement endormi, sans cesser de marmonner :

— Clévoiture ! Clévoiture !

Sarah et Safran échangèrent un regard, pour une fois déconcertées. Sarah comprit brusquement.

— Il veut ses clés de voiture ! s'exclama-t-elle. Elles sont là. Par terre, à côté de lui !

— Quoi ? Ah oui ! Les clés de voiture ! Les voilà, Patrick !

— Clévoiture ! dit Patrick en s'en emparant. Sauvezl'vie !

S'arrachant du canapé, il vacilla jusqu'à la cuisine en secouant la tête comme pour vérifier qu'elle était toujours bien attachée.

— Caddy ! Caddy ! Faut qu'j'parte ! Superpressé !

— Quoi ? Tout de suite ? s'enquit Caddy, très étonnée. Je peux vraiment pas t'accompagner !

— Bon, faut que j'... Oùkj'laissé... lavoiture ?

— Je vais te montrer, lui dit Safran en lui faisant franchir la porte tout en sifflant par-dessus son épaule : « Ferme-la, Caddy ! Ne dis rien !... Viens, Patrick, par là ! »

Elle referma soigneusement la porte de la cuisine derrière elle et le mena jusqu'à sa voiture.

— Clévoiture ! Clévoiture ! marmonna Patrick.

— Dans ta main, dit Safran en les lui prenant pour ouvrir la portière.

— Spersoirée !

— Génial ! acquiesça Safran en le poussant doucement à l'intérieur. Les clés de voiture ! Tout va bien ! Allume tes phares. La nuit tombe. Ne t'inquiète pas pour Caddy, on s'occupe d'elle.

— Céunamour ! dit Patrick avec reconnaissance.

— Parfait ! dit Safran. Allez, bonne route !

Elle lui fit des signes d'adieu pendant un petit moment avant de se précipiter dans la maison.

— Éteignez les lumières ! cria-t-elle en hâte. Éteignez les lumières partout pour qu'il ne puisse plus se repérer si jamais il se réveille !

— Mais je ne comprends pas ! protesta Caddy. Il devait rester jusqu'à dimanche !

— C'est ce qu'il a fait, dit Safran. Ou du moins, c'est ce qu'il croit. Et maintenant, que tout le monde se couche par terre, pour donner l'impression qu'il n'y a personne ! Allez, Rose ! Et toi aussi, Sarah ! Comment as-tu pu penser qu'il ferait l'affaire pour maman, Caddy ?

— Qu'est-ce que tu racontes ? intervint Rose. Pourquoi maman voudrait de lui ? Pour quoi faire ?

— Rien, répondit Caddy d'une voix apaisante. Il était pour moi. C'est mon erreur. C'était à cause de son chinchilla. Il m'a fait craquer. C'est pas grave, maintenant, il est parti.

Rose ne posa pas davantage de questions, mais tard dans la soirée, elle alluma sa lampe de chevet pour écrire une nouvelle lettre.

Papa chéri

C'est Rose.

La cabane a besoin de nouveaux fils électriques maintenant que tout a sauté.

Caddy ramène à la maison des petits amis qui touchent le fond pour voir s'ils conviendraient pas à maman. Pour te remplacer.

Bisous, Rose.

8

Le samedi matin, dès l'aube, Rose était debout et en pleine activité. Indigo se réveilla en l'entendant faire du remue-ménage dans la cuisine déserte.

— J'ai perdu mes chaussures ! gémissait-elle. J'ai perdu mes chaussures !

Les bruits de la chasse aux chaussures s'intensifièrent avant de s'arrêter. Rose remonta l'escalier en martelant les marches, bien décidée à sortir la famille du lit.

— Safran, je sais que tu es réveillée !

Safran grogna avant de rabattre la couette par-dessus sa tête.

— Mes chaussures ont disparu !

— Casse-toi ! Demande à Caddy.

— Caddy dort.

— Moi aussi je dormais !

— Caddy, t'as pas vu mes chaussures ?

— Chut, ma chérie, murmura Caddy plongée dans ses rêves.

Rose ouvrit les rideaux et arracha l'oreiller sous lequel Caddy s'était enfouie.

— Qu'est-ce qui se passe ? marmonna Caddy. Ne me dis pas que Patrick est revenu !

— Mes chaussures ont disparu !

— Lunettes ? suggéra Caddy d'une voix endormie. Si tu mettais tes lunettes, peut-être ?

Rose sortit en trombe de la pièce pour revenir voir Safran.

— T'es pas encore debout ? Il faut que j'aille en ville.

— Pas avec moi ! Plus jamais ! Demande à maman.

Ève était réveillée et clignait des yeux d'un air abruti au milieu du grand lit. Rose, habituée à voir sa mère pelotonnée de son propre côté pour laisser consciencieusement de la place pour un Bill invisible, remarqua cela mais ne fit aucun commentaire. Elle se laissa tomber en ronchonnant sur les jambes de sa mère.

— Ouille ! dit Ève.

— Comment aller en ville sans mes chaussures ?

Ève se débattit pour se libérer du poids de Rose.

— Rose chérie, dit-elle, si tu vas en ville, il faut que quelqu'un t'y emmène. Et je ne crois pas que quelqu'un soit déjà prêt, chérie.

— J'irai toute seule, alors. Mais j'ai besoin de chaussures.

— Non, non, non, non et non !

— Non ? répéta Rose, éberluée parce que Ève ne disait jamais non à personne.

— Je suis désolée, Rose ! Tu ne peux pas aller en ville toute seule, et moi, je ne peux pas t'y emmener. Je donne mon cours de dessin. Tu as vu les nouvelles affiches ?

La mère de Rose désigna le miroir de la chambre, recouvert d'une grande affiche de couleurs vives.

Peignez le rêve !
LES GRAFFITIS DU BONHEUR !
tous les samedis de 10 h 30 à 12 h

— J'ai pensé que ça te plairait de venir. Ça sera amusant. Des étudiants charmants (presque tous envoyés par la justice). Caddy sera là, elle veut les voir. Et je pourrai t'emmener en ville après.

— Après, ce sera trop tard, dit Rose d'un air mécontent.

Elle descendit du lit pour se rendre chez Indigo.

Indigo s'était déjà levé, il avait fouillé dans la cuisine en désordre et trouvé les chaussures disparues derrière la poubelle.

Rose sourit pour la première fois de la matinée.

— Ça t'embêterait de t'habiller et d'aller en ville vite fait, Indy ? demanda-t-elle d'un ton plein d'espoir. Il faut que j'aille dans le magasin de la guitare de Tom et je sais pas à quelle heure ça ouvre. On a rendez-vous là-bas.

— Il est au courant ? demanda Indigo, très surpris.

— Oui. Il en parlait dans le mot que tu m'as apporté. Mais il a seulement dit samedi matin. Il n'a pas donné d'heure.

Indigo paraissait toujours aussi dubitatif.

— Indy, je t'en prie !

— Tu ne te serais pas trompée ?

— Je ne me trompe jamais, riposta Rose avec impatience. Tu le sais très bien ! Dépêche-toi, je vais te préparer un sandwich pendant que tu t'habilles !

— Bon, d'accord, dit Indigo.

— Range cette balle avant de casser quelque chose ! déclara la grand-mère de Tom pendant le petit déjeuner. Ce matin, tu restes m'aider ?

— J'ai déjà aidé hier soir ! protesta Tom. J'ai nettoyé tous ces enclos puants !

La grand-mère de Tom se lança alors dans son discours, la-plupart-des-garçons-de-ton-âge-sauterait-sur-la-chance-de-travailler-avec-des-animaux et, tout en rangeant la cuisine, enchaîna avec celui qui commençait par : la-plupart-des-garçons-de-ton-âge-devraient-aider-infiniment-plus-que-ce-qu'on-leur-demande.

Tom engoutissait ses céréales dans la plus parfaite indifférence, attendant le paragraphe suivant (je-me-rends-compte-que-tes-parents-t'ont-gâté-voilà-le-problème-avec-les-parents-séparés. Ils-sont-en-rivalité-et-c'est-le-gosse-qui-se-retrouve-victime...) Prévoyant la tirade suivante, il articula silencieusement :... À-moins-que-ce-soit-d'avoir-été-élevé-en-Amérique ? en levant les yeux au ciel.

— À-moins-que-ce-soit-d'avoir-été-élevé-en-amérique ? dit sa grand-mère. Cesse de hausser les épaules ainsi ! Tom !

— Tu-n'as-pas-écouté-un-mot-de-ce-que-je-t'ai-dit ! récita Tom avec son plus bel accent anglais.

Sa grand-mère eut un brusque sourire.

— Tu as encore grimpé sur le toit ? Une de mes clientes croit t'avoir vu là-haut hier soir. Qu'est-ce que je raconterai à ton père si tu tombes et que tu te casses la tête ?

— Dis-lui « Bonnes nouvelles. Tous tes rêves se sont réalisés. »

— Y a-t-il quelque chose de particulier que tu souhaites faire ce matin ? lui demanda sa grand-mère en soupirant.

— Oui, dit Tom en portant sa tasse et son bol de céréales dans le lave-vaisselle.

— Pas là-dedans ! C'est plein de plats à chat. Lave-les dans l'évier. Qu'est-ce qu'il est devenu, ton ami ?

— Quel ami ?

— Celui qui est passé avec sa petite sœur. Il m'a beaucoup plu. C'est agréable de voir un grand garçon s'occuper comme ça de sa petite sœur.

La tasse de Tom lui échappa des doigts et atterrit dans le bol de céréales. Les deux furent réduits en miettes.

— Désolé ! dit-il sombrement.

— Ah vraiment Tom ! D'accord, c'était un accident ! Ce n'est pas grave. Qu'avais-tu l'intention de faire ce matin ?

— Je voulais seulement aller au magasin de musique.

— Je t'ai déjà demandé de ranger cette balle ! Eh bien vas-y alors, si tu dois y aller. N'oublie pas de rentrer déjeuner... Oh regarde ! Attends, Tom !

Elle l'avait suivi jusqu'à la porte et avait découvert le courrier sur le paillasson.

— Une pour toi, de la maison...

— Je la lirai plus tard, dit Tom en hâte.

Il courut dans la rue qui menait en ville.

Dans l'horreur de cet exil qu'il s'était lui-même imposé, Tom regrettait parfois de s'être en plus aventuré sur la place du marché et d'y avoir découvert le magasin de musique et la guitare noire. Une complication supplémentaire dans sa vie déjà bien assez compliquée comme ça.

Il se mit à calculer de combien d'années, il lui aurait fallu reculer pour retrouver son existence heureuse d'autrefois.

À la même époque l'année dernière ?

C'était épouvantable.

À la même époque, deux ans auparavant ?

Non.

Trois ans, alors ? Il avait neuf ans. Oui, ça lui ferait bien plaisir de revenir à ses neuf ans. Cette année-là avait été agréable. Il avait passé l'été avec sa mère et en rentrant à la fin des vacances, il avait rapporté la vieille guitare. L'hiver suivant, il avait commencé à prendre des cours de musique. À dix ans, il se débrouillait déjà pas mal.

Au cours des deux années suivantes, il était devenu un vrai musicien.

À dix ans, Tom avait pris l'habitude peu sociable de disparaître dans sa chambre dès qu'il rentrait chez lui.

Il surprit un jour une conversation.

— Où est Tom ? avait demandé Louise.

Son père avait répondu, d'une voix genre je-suis-vraiment-à-bout-de-patience :

— Il se cache là-haut !

— C'est pas vrai ! avait crié Tom furieux (et menteur), je travaille ma guitare !

— Désolé, Tom, avaient-ils répondu tous deux immédiatement.

Désolés, ils l'étaient vraiment. Ils montraient toujours beaucoup de respect pour sa musique. Louise avait une théorie : si Tom y attachait tant d'importance, c'était parce qu'elle lui venait de sa mère.

Après, la guitare était devenue l'excuse idéale.

— Tom, aide-nous à choisir la couleur de la nouvelle voiture ! Viens donner ton avis !

— Je travaille !

— Tom ! C'est le réveillon de Noël, bon sang de bois !

— Laisse-moi tranquille.

— Tom ! Regarde qui est venu nous voir enfin ! S'il te plaît, Tom !

— Je travaille. Laisse-moi tranquille.

Et pendant tout ce temps, les doigts de Tom étaient devenus plus forts et plus rapides. Ils avaient appris à courir sur les cordes plus vite que Tom ne le leur ordonnait. Au début, s'il travaillait avec tant d'acharnement, c'était pour ne pas entendre dire qu'il boudait, mais ensuite, s'il jouait, c'était parce que cela lui était devenu indispensable.

La guitare que Tom avait rapportée de chez sa mère était un vieux modèle espagnol. Elle le rendait fou. Certes, c'était une guitare mais tout le reste clochait : le dos était fendu et le manche gauchi ; Les notes basses cliquetaient ; Les chevilles de réglage étaient tellement détendues que la guitare se désaccordait dès que Tom claquait une porte, disait son père.

Et c'était encore optimiste. La guitare se désaccordait encore plus vite que Tom ne claquait les portes. Et pourtant... Elle était vraiment en fin de parcours.

— Tom, dit son père juste avant son douzième anniversaire, voilà les catalogues d'une douzaine de magasins de guitare. Viens les regarder. Dis-nous celle qui te plairait.

— Ce qui me plairait, c'est d'être à des millions de kilomètres d'ici, répondit Tom.

En fait de millions de kilomètres, Tom n'avait pas pu trouver mieux que cette lugubre ville d'Angleterre.

Il tourna dans la petite rue du magasin de musique et, à sa grande surprise, vit Indigo et Rose qui s'avançaient vers lui.

Rose courut aussitôt à sa rencontre. Indigo suivait,

souriant d'un air penaud après avoir remarqué que Tom haussait les sourcils aussi haut que possible.

— Tu as déjà réussi à trouver les quatre cent cinquante livres ? demanda Rose.

— Non, répondit Tom dont les sourcils ne redescendaient pas.

— Je vais vérifier qu'elle est toujours là, dit Rose tout en se dépêchant d'aller écraser son nez sur la vitrine pendant qu'Indigo expliquait :

— Elle m'a dit que tu voulais qu'elle vienne.

— C'est vrai ?

— Et il fallait bien que quelqu'un l'accompagne. Je vais à la bibliothèque. Tu peux faire traverser Rose pour qu'elle me retrouve là-bas quand vous aurez terminé ?

— Moi ?

— Ben oui, dit Indigo. Autrement, il faut que j'attende dans la boutique. T'as pas envie qu'il ait foule pour t'écouter.

Être écouté par une foule n'aurait pas déplu à Tom et ses sourcils s'envolèrent encore davantage mais Rose se mit alors à crier :

— Je la vois !

Il se passa alors la main dans les cheveux et se détendit brusquement.

— D'accord, je l'amènerai, dit-il, se dépêchant de rejoindre Rose. Elle a disparu ! s'exclama-t-il soudain, horrifié.

— Non, pas du tout, dit calmement Rose. Ils l'ont déplacée. Elle est dans le coin sombre derrière le comptoir maintenant. C'est moi qui leur ai demandé de la mettre là.

— Toi ?

— Quand on est venu ici avec la classe. J'ai dit : « Pouvez-vous la mettre dans un endroit où on ne la remarque pas trop. »

Tom l'observa avec ahurissement.

— On la voit à peine, remarqua Rose d'un ton satisfait.

— Bon, allez on y va ! dit Tom en riant.

Il ouvrit la porte du magasin et Rose le suivit.

Indigo demeura où il était et regarda ce qui se passait de l'autre côté de la vitrine. Rose désigna du doigt la guitare noire. Un homme s'avança et la tendit à Tom. Tom s'en saisit avec entrain, fixa la sangle d'épaule et se mit à essayer les cordes. Il les pinça une à une puis deux par deux, tenant une seule note à la fois, écoutant, réglant les chevilles, écoutant encore. Son visage se fermait, il était tourné sur lui-même. Indigo reconnaissait cette expression, il l'avait vue à maintes reprises sur le visage de Rose quand elle était absorbée par un dessin.

Tom finit d'accorder l'instrument, regarda Rose, dit quelque chose, et se mit à jouer.

Indigo se rendit à la bibliothèque où il s'installa avec un livre. Il pensait être là pour un bon bout de temps.

— Devine qui je suis allée voir la semaine dernière, dit Caddy à sa mère, tandis qu'elles se rendaient dans l'établissement où Ève enseignait le dessin aux Jeunes

Délinquants le samedi matin. Papa. Je suis allée dans son atelier.

— Mon dieu, Caddy !

— J'ai eu brusquement envie de voir cet endroit. Je n'y était jamais allée.

— Moi-même, je n'y suis pas allée depuis des années et des années, dit Ève. Tu l'avais prévenu que tu venais ?

— Non. Je suis passée comme ça. J'ai trouvé très facilement, j'ai appuyé sur la sonnette et il était là. Avec exactement la même allure que d'habitude. Tu sais, brun, chic et joyeux.

Ève poussa un petit soupir.

— Et il a dit : « Caddy chérie, quelle magnifique surprise ! Entre ! Entre ! »

La dernière fois qu'Ève était allée voir l'atelier de Bill, c'était avant la naissance de Rose mais elle se souvenait encore parfaitement de la façon dont il avait ouvert la porte en s'exclamant : « Ève chérie, quelle magnifique surprise ! »

— Alors, je suis entrée, continua Caddy. Tout est très beau, très nu, très brillant. Il m'a fait du thé et on l'a bu sur ce minuscule balcon où il fait pousser de la menthe et des herbes.

— Ah oui. Je m'en souviens.

— Il a une table couverte de photos. Certaines que je n'ai jamais vues. Une d'Indigo quand il est sorti de l'hôpital juste avant Noël, tout maigre avec l'air efflanqué. Et une de Saffy et de Sarah dans le jardin. Et une grande de Rose avec ses lunettes ; il a dit qu'il l'avait prise dans le magasin pendant qu'ils choisissaient la monture. Elle se regarde dans la glace et il y a un autre miroir derrière elle alors elle se reflète devant et derrière, en devenant de plus en plus petite.

— Ça m'a l'air drôlement astucieux. Et quoi d'autre ?

— Rien. Il était gentil.

— Il était tout seul ? Il n'y avait personne d'autre ?

— Oui, il était tout seul. Pauvre papa.

Caddy jeta un regard en coin à sa mère et leurs yeux se croisèrent. Elles se mirent à rire.

— Bon ! dit Ève. Tant pis. On est arrivées !

Elle tourna dans le parking, regarda autour d'elle puis fonça brusquement vers un groupe d'étudiants qui faisaient de grands signes.

— Spike, Lisa et Matthew, expliqua-t-elle à Caddy. Ils me gardent toujours une place... Et maintenant, cramponne-toi, Caddy !

— Pourquoi ?

— Eh bien, chérie, dit Ève en bondissant hors de la voiture et en chargeant des bombes de peinture et d'énormes rouleaux de carton dans les bras de ses étudiants, j'imagine que papa dirait que ce n'est pas vraiment de l'Art...

Le vendeur du magasin de musique était clairement favorable à Tom.

— J'ai réfléchi, dit-il. Tu n'as pas une guitare que tu pourrais en partie échanger contre celle-là ? Ça pourrait t'aider ?

— Non, dit Tom. Ma guitare... J'ai un vieux modèle espagnol... Non. Ça ne marcherait pas. Désolé.

— Tu sais ce qu'elle vaut, celle-là, dit le vendeur d'un air malheureux. Quatre cent cinquante, c'est un cadeau.

— Oui.

— On l'a achetée trois cent quatre-vingts. On l'a lustrée. De l'huile au citron sur le manche, une nouvelle sangle, des nouvelles cordes. Derrière, il y a un vieil étui qu'on pourrait t'offrir avec.

Tom écarta les bras d'un geste d'impuissance.

— Ne peux-tu amener quelqu'un ici pour l'écouter ? Et si ta mère...

Tom secoua la tête et se dirigea vers la porte.

— La mère de Tom est en Amérique, expliqua Rose au gentil vendeur. Elle s'occupe des ours dans le parc national de Yellowstone.

— Oh.

— Et son père est astronaute, continua Rose. En route pour une étoile. Et sa grand-mère est une sorcière. Je l'ai vue.

— Bien, dit le vendeur, éberlué par toutes ces informations. Je ne sais pas quoi dire. On ne peut pas toujours forcer le destin.

— Sans doute, dit Rose.

— En tout cas merci, dit Tom. Viens, Rose.

Il quitta la boutique en hâte et s'éloigna sans se retourner, mais Rose, qui était sortie avec lui, fit brusquement demi-tour. Le vendeur lui tournait le dos. Il raccrochait la guitare noire, non plus dans le coin sombre, mais à l'endroit où Tom la lui avait montrée la première fois.

— Pas là ! siffla Rose d'une voix si féroce qu'il fit un bond. Pas là ! Et ne la vendez pas !

Tom se souvint brusquement de sa promesse d'amener Rose à la bibliothèque. Il n'avait jamais raccompagné quiconque nulle part, mais il l'avait vu faire. En outre, il savait avec quelle désinvolture Rose traitait la circulation. Alors quand elle le rattrapa à la hauteur du passage clouté, dans la rue principale, il lui saisit fermement le poignet et ne la lâcha pas avant d'atteindre le refuge central où ils attendirent que le second feu passe au rouge.

— Regarde ce que tu as fait ! dit Rose en exhibant les marques violettes que les doigts de Tom avaient laissées sur son bras.

Tom ne répondit pas. Il regardait de l'autre côté de la rue, où le *chef de bande rouquin* et deux de ses amis étaient pliés de rire, en le montrant du doigt.

— Elle est pas un peu jeune pour toi, Levin ?

— Ton père a été te la chercher exprès sur une planète lointaine, Tom ?

Le feu passa au rouge, Tom saisit de nouveau Rose et la fit traverser. Le chef de bande rouquin et ses copains reprirent leur route, sans cesser de les huer. Rose entendit l'un d'eux dire en ricanant :

— C'est la sœur d'Indigo Casson.

— Ce sont les garçons qui ont plongé Indigo dans les toilettes ?

— Probablement, répondit Tom en la traînant vers la bibliothèque aussi vite qu'il le pouvait.

— Pourquoi ? demanda Rose.

— Quoi ?

— Pourquoi ?

— Oh. Je crois qu'il les dérangeait.

Pour Rose, cela revenait à dire que, pour Tom, c'était une raison suffisante.

— Tu peux pas te montrer dégoûtant avec les gens rien que parce qu'ils te dérangent ! s'exclama-t-elle, hors d'elle. Des milliers de gens me dérangent ! Des millions de gens dérangent des millions de gens tout le temps !

— C'est vrai ! reconnut Tom, pensant amèrement à sa propre situation.

— Il faut bien les supporter quand même, dit Rose.

Tom n'avait rien à répondre.

9

Les remarques de Rose évoquant son éventuel remplacement par l'un des catstrophiques petits amis de Caddy n'inquiétèrent nullement Bill Casson. Il se contenta d'en rire. Il pensait qu'il s'agissait d'une plaisanterie. En revanche, l'idée qu'un de ces jeunes gens tente de rafistoler l'électricité dans la cabane d'Ève l'inquiétait fort. La lettre de Rose semblait suggérer qu'il y avait un lien entre ces deux problèmes.

Au cas où cela aurait été vrai, Bill téléphona pour y mettre bon ordre.

Rose, comme à l'accoutumée, décrocha.

— Rose chérie, dit son père, dont le cœur sombra au fond de ses bottes artistiques en entendant la voix peu engageante de sa fille, j'appelle à propos de ta lettre...

— Je m'y attendais ! l'interrompit Rose d'un ton suffisant.

— Tu plaisantais, à propos des ridicules petits copains de Caddy ?

— Non.

— Alors, il vaut mieux que je parle à maman.

Rose parut perdre tout intérêt pour la conversation et se mit à fredonner comme si elle s'ennuyait et qu'elle était sur le point de partir.

— Ne chantonne pas, Rose ! Va chercher maman et dis-lui que j'ai besoin de lui parler à propos des branchements dans la cabane...

— Quoi ! cria Rose. Pas à propos des petits amis catastrophiques qui viennent ici prendre ta place ?

— Seulement à propos de l'électricité, ma chérie. Va vite maintenant.

— Trop tard ! dit Rose très contrariée. Derek-le-militant que maman appelle Derek Chéri, DEREK CHÉRI, est venu la réparer hier ! Il a creusé une tranchée dans le jardin pour enterrer les fils. Il les a fait passer dans un tuyau d'arrosage.

Bill poussa un grognement.

— Ça a pris toute la journée et après, maman lui a préparé un dîner spécial pour fêter ça. Et ensuite il est allé au garage et il lui a acheté des lis roses parce qu'il se souvenait que c'étaient ses fleurs préférées. Il l'aime beaucoup. Voilà.

Pleine d'espoir, Rose attendit que son père dise que personne n'avait le droit d'aimer Ève au point de lui offrir des lis roses, mais devant son absence de réaction, elle continua.

— Et ensuite DEREK CHÉRI a installé des vraies prises sur le mur de la cabane, alors évidemment maman est très contente.

— Elle sera moins contente quand le circuit va saturer et que la maison partira en fumée ! J'aimerais que ce... ce... Derek... c'est ça ?

— Derek Chéri.

— N'importe. J'aurais aimé qu'il me demande d'abord mon avis. J'aurais été ravi qu'il laisse les choses en l'état.

— Moi aussi, avoua Rose. Je parie que maintenant on verra presque plus maman. Avant, elle venait se préparer du café et se réchauffer mais maintenant qu'elle a une bouilloire et un bon radiateur électrique, elle n'a plus besoin de venir. Elle a téléphoné hier soir pour dire que c'était l'heure de se coucher.

— De la cabane ?

— Oui.

— Grands dieux ! Peux-tu aller chercher ce Derek, Rose ? Je crois qu'il faut que je lui parle.

— Il est retourné sous sa tente. Il garde un cercle de pierres.

— Alors passe-moi maman.

— Elle est partie avec lui. Elle va repeindre le cercle.

— Tu aurais dû me prévenir qu'Ève était absente, Rose ! s'exclama Bill. Qui s'occupe de toi ?

— Caddy.

— Va la chercher, chérie, dit Bill, un peu énervé. Dis-lui que papa veut savoir quelque chose d'important à propos du coupe-circuit.

— Qu'est-ce qu'il peut y avoir d'important à propos d'un coupe-circuit ?

— Rose ! hurla Bill.

— Oh d'accord, dit Rose en posant le récepteur.

Son père l'entendit appeler : « Caddy ! Caddy ! » puis perçut le bruit de ses pas grimpant l'escalier.

Elle revint au bout d'une minute.

— Caddy dort encore, annonça-t-elle. Elle est rentrée hier soir très très très tard. Elle est sortie avec Michael.

— Je t'en prie, supplia Bill. Je t'en prie, Rose, je veux parler à quelqu'un ! Safran ou Indigo ?

— Ils sont chez Sarah.

— Rose, dit son père d'une voix pathétique. Sais-tu par hasard si le branchement de la cabane est bien relié au coupe-circuit ?

— Bien sûr que oui ! répondit vivement Rose. Étiqueté et tout ! Paradis !

— Je te demande pardon ?

— Derek a fait une étiquette rose sur laquelle il a écrit PARADIS, expliqua Rose. On arrête de discuter de ces branchements casse-pieds ! Tu sais ce qu'a dit Caddy ?

— Raconte-moi !

— Elle a dit qu'elle était venue te voir et que tu étais gentil !

— Bien sûr que j'étais gentil !

— Oh.
— Comment ça va l'école, Rose ?
— Pareil que d'habitude.
— Qu'as-tu appris ?
— Rien.
— Qu'est-ce que tu as fait alors ?
— Mon grand beau dessin.

Bill ne demanda pas, comme Rose en mourait d'envie : « Quel grand beau dessin ? »

— Tu le verras quand tu viendras à la maison, ajouta-t-elle.

— Formidable !
— Tu n'es pas dessus !
— Ah bon. Comment voudrais-tu que moi, je fasse un portrait de toi, Rose ?

— On était en train de parler de mon tableau que moi je suis en train de faire, cria Rose.

— Bien sûr, acquiesça son père. Et il a l'air merv...
— Tu peux pas dire ça sans l'avoir vu !
— Non, non, c'est vrai ! Tu as absolument raison ! Mais maintenant, il faut vraiment que j'y aille, Rose ma puce ! Raccroche doucement cette fois ! Embrasse tout le monde...

Pour une fois, il réussit à battre Rose et raccrocha avant elle, disparaissant à nouveau dans le silence de son univers londonien inconnu.

Rose, debout au milieu de la cuisine, se mit à crier :

— Je le déteste ! Je le déteste !

Caddy finit par descendre, d'un pas trébuchant de sommeil.

— Qui ? demanda-t-elle.

— Papa !

— Mais non, tu ne le détestes pas. T'as pris ton petit déjeuner ?

— Je veux pas de petit déjeuner ! gronda Rose.

— Laisse-moi le temps de prendre une douche et je descends faire des crêpes.

— Des vraies crêpes ?

— Évidemment, Rose chérie, dit Caddy. Je ne suis pas seulement une très belle zoologue ! Oh je t'ai apporté de la couleur argent pour ton dessin. C'est une mine de plomb en fait, mais ça donne une très belle couleur argent. Je l'ai posée sur la cheminée quelque part. Cherche-la.

Caddy remonta, laissant Rose un peu réconfortée. Elle explora la cheminée et finit par découvrir la mine, un bâton argenté, frais et lisse comme de l'eau, parfait pour son dessin.

Au début de la semaine, Ève avait déplacé le frigidaire pour laisser davantage d'espace à Rose et depuis, la fresque n'avait cessé de s'étendre. À présent, la fusée du père de Tom filait dans le ciel, droit vers une galaxie d'étoiles. Au-delà des flots tumultueux qui s'écrasaient contre les murs de la maison, une petite île avait émergé, une vision à distance de l'Amérique, avec des ours tout à fait reconnaissables.

La silhouette de Tom n'était toujours pas terminée.

— Je n'arrive pas à saisir ses mains comme il faut, expliqua Rose en observant Caddy mélanger la pâte à crêpes. Je voudrais bien qu'il vienne ici pour que je le dessine, exactement comme Derek-le-militant.

— Il faut qu'Indigo le lui demande, suggéra Caddy.

Lorsque Indigo descendit quelques minutes plus tard, il promit d'essayer. Safran et lui étaient en pleine forme et extrêmement contents de voir Caddy et Rose affairées à préparer des crêpes.

— Exactement ce que j'avais envie de manger, dit Safran en disposant les assiettes. Et bonne nouvelle, Rose ! La mère de Sarah nous invite tous à déjeuner dimanche. Poulet rôti et tarte au citron.

— Poulet rôti et tarte au citron ! répéta Rose.

Elle abandonna aussitôt sa tâche – sucrer et empiler les crêpes – pour ajouter dans son dessin une minuscule silhouette, celle de la mère de Sarah naviguant sur un petit bateau vers la maison battue par les vents.

— Elle apporte le déjeuner du dimanche, expliqua Rose.

Le lundi matin, dès qu'il arriva au collège, Indigo se mit en quête de Tom. Il le découvrit rapidement dans une des classes de l'étage, se livrant à son activité favorite, amuser son public.

Tom faisait la démonstration de ses talents de lanceur de balle, avec la collaboration d'un morceau de craie bleue et d'un volontaire, sorti tout droit de la foule des suivistes. Il avait dégagé un espace en demicercle et placé son volontaire contre le mur de la classe. Lorsque Indigo arriva, il avait déjà effectué la moitié de son numéro, à savoir dessiné la silhouette du garçon sur le mur blanc par une succession de lancers spectaculaires.

— Ne bouge pas ! ordonna Tom.

Bang !

La balle, évitant de peu le volontaire bras et jambes écartés, s'écrasa contre le mur dans une explosion de poussière bleue. Tom la rattrapa au vol et l'enduisit à nouveau de craie.

— Ne bouge pas !

Bang !

Chaque lancer laissait un cercle de poussière bleue sur le mur. Il y en avait un au bout de chaque membre et un à côté de chaque hanche et de chaque épaule du volontaire.

Bang !

Bang !

Ça rebondit à côté de chaque oreille, en deux prestes mouvements.

— Ne bouge pas ! commanda encore Tom avant d'achever son numéro par un dernier coup qui frôla le sommet de la tête du garçon.

Il rattrapa la balle avec un grand geste du bras et les applaudissements éclatèrent spontanément.

— Génial ! dit David, le volontaire.

Le bourdonnement enthousiaste se transforma en grognements lorsque Tom, ivre de son succès, ajouta :

— Ma mère peut faire ça à cheval !

« Et c'est reparti, pensa Indigo. Dommage que Tom ne sache pas s'arrêter. »

— Elle s'entraîne sur les ours ? demanda un petit rigolo.

Ce qui lui valut de prendre une balle en plein ventre.

Ce qui ne retint pas quelqu'un d'autre de demander :

— Elle peut le faire les yeux bandés, Tom ?

— Les yeux bandés et à cheval ? cria un autre.

— Ce serait trop facile, ricana le chef rouquin. C'est une championne de rodéo, pas vrai Levin ?

— Toi, tu la fermes ! rétorqua Tom.

— Allez, Tom ! le pressa Indigo en tentant de distraire son attention avant que la situation empire. Envoie-moi cette balle !

Mais Tom avait dépassé le point où il pouvait se laisser distraire. Une cloche sonna, la salle se vida, et dans le couloir les élèves continuèrent à se moquer de lui.

— Lance la balle à Indigo, Tom, sinon sa grande sœur va venir !

— Tu as combien de chevaux, alors, Tom ? Un seul ?

La foule des suivistes s'amusait à présent, galopant et hennissant sur de prétendues montures tout en se dirigeant vers l'escalier qui descendait dans le grand hall.

— Tu ne serais pas le plus grand menteur de toute l'Amérique, Tom ? demanda le chef rouquin sur le ton de la plaisanterie. Ou ils sont tous comme toi, là-bas ?

Il fut assez bête pour poser cette question en haut de l'escalier, en se retournant d'un air ironique.

Tom, très énervé, fit ce qui s'imposait. Il poussa brutalement le rouquin en arrière. Puis, ayant retrouvé sa bonne humeur, il continua à descendre l'escalier sans même s'arrêter pour voir les conséquences de son acte.

Le rouquin, déséquilibré, roula jusqu'en bas de l'escalier, entraînant dans sa chute une bonne partie de la foule des suivistes qui se mirent à brailler. Il s'arrêta enfin en heurtant le proviseur, sorti en hâte de son bureau pour enquêter sur l'origine de ce bruit.

Le proviseur vacilla et tomba, l'arête de son nez vint s'écraser brutalement contre le bord d'une table et la colère le submergea.

— Mais crétins de gamins, à quel jeu jouez-vous donc ? rugit-il, plié en deux, en tenant son nez. Faire les idiots dans l'escalier comme ça !

Même s'il avait l'épaule en compote, le rouquin n'avait pas perdu cet étrange instinct qui le poussait à se montrer le plus nuisible possible. En outre, l'amitié qui semblait se développer entre Tom et Indigo ne lui plaisait pas. Il dévisagea donc la foule des suivistes d'un œil menaçant et répondit :

— Je ne faisais pas l'idiot, monsieur. Indigo Casson m'a poussé.

— C'est pas vrai ! cria Indigo, pris de court. C'était...

Indigo s'arrêta brusquement en regardant autour de lui. Tom était invisible.

— Je n'ai pas vu qui c'était, acheva-t-il maladroitement.

Ce qui n'avait pas d'importance parce qu'une bonne moitié des suivistes semblait miraculeusement avoir assisté à la scène : Indigo Casson poussant leur chef dans l'escalier. Autrefois, c'était toute la foule des suivistes qui l'aurait vu, mais les temps changeaient. Quelques-uns, David (encore bleui de poussière de craie), Marcus, Josh et d'autres, ne suivaient plus leur chef aussi aveuglément qu'autrefois. Quand on les interrogea, ils répondirent, l'air embarrassé, qu'ils n'avaient rien vu.

Au milieu de tout ce remue-ménage, Tom apparut, les mains dans les poches et les sourcils levés.

— Tom, dit le proviseur dont le nez enflait déjà et dont les yeux coulaient toujours. Saurais-tu par hasard qui a poussé ce garçon dans l'escalier ?

Tom, qui ignorait tout de l'accusation du chef rouquin, prit sa balle dans sa poche et la fit rebondir avec une désinvolture étudiée juste sous le nez douloureux du proviseur.

— Qu'est-ce que ça peut faire ? rétorqua-t-il avec insolence. Du moment que quelqu'un l'a fait !

Indigo dévisagea Tom, éberlué. Pas un seul instant il n'avait imaginé que Tom ne dirait pas immédiatement : « C'est moi ! »

Tom s'aperçut que Indigo le fixait.

— T'as un problème, Indigo ?

Le chef rouquin se mit à rire.

— Tom Levin, range cette balle tout de suite ! tonna le proviseur à qui l'indignation avait bloqué la parole pendant un moment. Indigo Casson, va attendre devant mon bureau ! Les autres, filez en classe ! Immédiatement et pas quand ça vous plaira !

Papa chéri, écrivit Rose en ronchonnant ce soir-là.

C'est Rose.

Saffy dit que tout le monde dit que c'est la faute d'Indigo si leur proviseur a les deux yeux au beurre noir et le nez enflé.

Bisous de Rose.

P.S. Sarah qui est ici dit de t'embrasser de la part de la fille au fauteuil aussi.

Le père de Rose téléphona spécialement pour dire à Rose de ne pas appeler Sarah « la fille au fauteuil ».

— C'est comme ça qu'elle a dit, protesta Rose. C'est elle qui y a pensé ! Ça t'inquiète pas, ce que je t'ai raconté à propos d'Indigo et du proviseur ?

— Quoi ? dit Bill. Ah ça ! Deux yeux au beurre noir et un nez enflé ! Je ne crois pas que je peux la gober, celle-là, Rose chérie ! Ce n'est pas du tout le genre d'Indigo !

— Qu'est-ce que tu fais ce week-end ?

— Je vais sans doute à Paris. Pauvre petit papa ! Ça va coûter horriblement cher. Et toi ?

— Je vais pas à Paris, répliqua Rose.

Ce fut une très mauvaise semaine. Indigo la passa à attendre que Tom explique sa conduite déraisonnable. Tom la passa à bouder. Il regrettait d'avoir mentionné que sa mère montait à cheval. Il avait le sentiment de s'être ridiculisé et Indigo, qui ne lui parlait plus, lui manquait.

Ce fut seulement le vendredi que David lui raconta précisément ce que le chef rouquin avait dit quand il s'était relevé en bas de l'escalier.

Tom n'était pas un farouche partisan du sacrifice héroïque mais il n'en alla pas moins voir le proviseur (dont les yeux au beurre noir atteignaient des sommets de perfection technicolor).

— Si ce crétin de rouquin vous a dit que c'était Indigo Casson qui l'a poussé dans l'escalier lundi, il mentait. C'était moi.

Le proviseur non plus ne croyait guère à l'héroïsme mais il était content que Tom fût venu se dénoncer.

— Bien, bien, dit-il assez aimablement (pour lui). Le temps est un grand guérisseur. Mais on est en pleine réunion administrative ! Sors d'ici et la prochaine fois, frappe !

Tom obéit et se mit en quête d'Indigo ; il lui fit rebondir la balle contre le crâne avant même que l'autre sût qu'il était suivi.

— Oh c'est toi ! s'exclama Indigo.

— Pourquoi n'as-tu pas dit au proviseur que c'était moi qui avais poussé cet imbécile dans l'escalier ? s'écria Tom d'un ton outré.

— Pour qui tu me prends ? répliqua Indigo, tout aussi outré.

Tom fit rebondir sa balle sans répondre puis brusquement, un bref sourire illumina son visage.

— Tu m'as vu dessiner les contours de David à la craie bleue lundi ?

— Oui. Je l'ai raconté à Rose.

— Comment elle va, la petite Rose ? demanda poliment Tom.

— Elle dit qu'il faut que je t'amène à la maison. Pourquoi tu ne viendrais pas demain ?

Les sourcils de Tom grimpèrent dans les hauteurs.

— Ou tu fais autre chose ? Tu vas au magasin de musique ?

— À quoi bon ? répondit Tom d'un ton résigné. Ils savent que je n'ai pas d'argent. Je voulais aller à la bibliothèque.

— Ah.

— Je veux trouver le moyen de monter sur le toit.

— Quoi ?

— Il y a toujours un accès à ce genre de toit, expliqua Tom. C'est obligatoire. Pour l'entretien.

— Mais qu'est-ce qu'il a de particulier, le toit de la bibliothèque ?

— J'aime bien monter dans les hauteurs, répondit Tom.

Indigo se souvint de l'échelle d'incendie, du parking à étages et de la musique qui semblait descendre du ciel lorsque Rose et lui étaient allés chez Tom.

— Tu m'accompagnes, proposa Tom, et après je vais chez toi.

— Tu veux que je t'accompagne ?

— Pourquoi pas ?

— Tu apporteras ta guitare à la maison ? Et tu montreras à Rose ce numéro avec la balle pleine de craie ? Elle va adorer.

Les yeux de Tom se plissèrent.

— Seulement si tu m'accompagnes d'abord sur le toit de la bibliothèque, dit-il.

— Je parie qu'on n'y arrivera pas.

— Peut-être bien, convint Tom. Mais je veux vérifier. Attrape ! Comment peux-tu louper ça ? Essaie encore ! Demain dix heures, alors. D'accord ?

— D'accord, dit Indigo.

10

Quand elle sut qu'il n'entrait pas dans les projets de Tom d'aller au magasin de musique samedi matin, Rose fut très mécontente.

— Ils vont croire qu'il n'en veut plus ! dit-elle.

— Ils ne sont pas si bêtes ! répondit Indigo.

Rose n'était pas d'accord. En conséquence, le samedi matin de bonne heure, elle arracha Ève à son lit et la persuada d'aller faire un tour en ville avant le début de son cours.

— Rose chérie ! protesta Ève d'une voix endormie tandis que Rose lui tendait une tartine, des chaussures et des clés de voiture tout en la poussant dehors.

Dans le magasin de musique, le gentil vendeur reconnut aussitôt Rose. Ève s'appuya contre la porte pour s'offrir cinq petites minutes de dodo et Rose prit la guitare noire, s'assit sur le tabouret de Tom et pinça solennellement les cordes.

— Il n'a pas pu venir ? demanda le vendeur avec bienveillance.

— Non, dit Rose en raclant la guitare. Mais il la veut toujours, alors n'allez surtout pas la vendre.

— J'ai peur de ne pas pouvoir promettre... commença le vendeur, qui se tut aussitôt parce que Rose le regardait vraiment méchamment.

— Envisages-tu d'apprendre à jouer toi-même ? demanda-t-il.

— Je joue déjà, non ?

— Oui, tout à fait. Bien entendu ! Ton ami, il est américain, non ?

— Oui.

— Il est ici pour longtemps ?

Rose le dévisagea. Elle n'avait jamais réalisé que Tom n'était pas en Angleterre pour toujours. Mais c'était évident. Elle le savait, simplement, elle n'y avait jamais pensé.

— Jusqu'à l'été, répondit-elle.

— Je ne savais pas qu'il devait repartir si vite.

— Vite ? répéta Rose, surprise. L'été, c'est pas tout de suite.

— Eh bien, on est en juin, non ? dit le vendeur d'un ton raisonnable. Même si le temps ne nous le dit pas ! Tu veux bien rester seule ici quelques minutes ?

— Oui, dit Rose.

Elle se pencha davantage sur la guitare pour qu'il ne

vît pas son visage et tira sur les cordes de plus en plus lentement.

Pendant ce temps, Ève dormait debout, comme un cheval. Elle se réveilla lorsque quelqu'un poussa la porte derrière elle.

— Rose chérie ! s'exclama-t-elle, ébahie, en se frottant les yeux. Mais qu'est-ce que tu fais ?

— J'essaie cette guitare. De toute façon, j'ai fini.

— Alors, rends-la au vendeur et dis merci !

Rose obéit sans protester mais, une fois dans la rue, elle ne put s'empêcher de demander :

— Maman, tu as de l'argent sur toi ?

— Mmmmm, dit Ève en fouillant dans son énorme sac en bandoulière. Je crois, chérie. Oui, voilà mon porte-monnaie.

— Je veux dire de l'argent en trop. Dont tu n'as besoin pour rien d'autre. Pas pour acheter à manger et tout ça.

— Sans doute. On ne va pas encore aller acheter de la nourriture ! J'ai l'impression de passer mon temps à acheter à manger ! Combien veux-tu ?

— Combien as-tu ?

Obligeamment, Ève s'arrêta dans la rue et regarda.

— Vingt livres en billets, dit-elle en examinant le contenu de son porte-monnaie, et plein de saletés.

Elle inclina le porte-monnaie pour montrer la collection de pièces, de bouchons de tubes de peinture, de perles et de boucles d'oreilles cassées qu'il contenait, puis elle le tendit à Rose.

— Voilà ma chérie, dit-elle gaiement. Sers-toi !

— Merci, dit Rose. Tu dirais aussi « Sers-toi ! » s'il s'agissait de quatre cent cinquante livres ?

— Si je pouvais. Mais j'ai bien peur de ne pas les avoir. Loin de là.

— Je sais, acquiesça Rose tristement.

Elle referma le porte-monnaie et le rangea doucement dans le sac de sa mère.

— Pourquoi voulais-tu quatre cent cinquante livres ?

— Pour cette guitare noire.

— Mon Dieu ! s'exclama Ève. C'est le prix que ça vaut ? De toute ma vie, je n'ai jamais dépensé une telle somme pour quoi que ce soit ! Ça fait quatre cent cinquante tubes de peinture, si on en achète des écrasés ! C'est pas possible que ce soit si cher !

Rose ne discuta pas, parce qu'elle savait que sa mère ne comprendrait jamais. Ève, qui se plaisait à acheter ses vêtements dans les magasins d'occasion et sur les étals des marchés, à peindre ses tableaux sur de vieilles toiles de Bill, à rapporter à la maison des meubles jetés dans la benne et qui comptait son argent en termes de tubes de peinture écrasés, ne pouvait pas comprendre qu'une guitare d'occasion puisse coûter quatre cent cinquante livres. Rose se rendit brusquement compte que son père lui manquait. Il était différent. Son portefeuille était rempli de cartes de crédit et, généralement, il transportait dans les poches de sa veste de quoi dépenser au moins quatre cent cinquante livres de babioles.

— Quand papa vient-il à la maison ?

— Dieu seul le sait, répondit Ève tranquillement. Il est tellement occupé. Il va à Paris ce week-end.

— Je sais. C'est comment, Paris ?

— Merveilleux, répondit Ève. Parfait ! J'y ai passé un été. On partageait à plusieurs un squatt hors de la ville (un squatt, c'est un endroit où on peut vivre gratuitement, chérie, tant que les propriétaires ne sont pas revenus) et moi, je dessinais pour les touristes devant un petit café et, en échange, ils m'offraient du café et quelques bricoles.

— Papa dit que Paris c'est très très cher, remarqua Rose.

— Non, dit Ève d'un ton pensif. Non. Enfin, moi je n'y ai pas dépensé d'argent en tout cas ! Évidemment, c'était avant de rencontrer papa ! Tu veux bien me dire pourquoi tu voulais cette guitare ?

— Tu vas rire.

— Non. Dis-moi.

— Pour Tom.

Ève regarda Rose et ne rit pas. Si elle ne comprenait pas les affaires d'argent, elle comprenait les affaires de cœur. Elle prit Rose par les épaules et la serra contre elle.

Pendant que Rose et sa mère se trouvaient dans le magasin de musique, Indigo rôdait autour de l'entrée de la bibliothèque municipale ; il attendait Tom en essayant de passer inaperçu.

Il avait le sentiment d'être un individu louche. Comme si les mots GRIMPEUR DE BIBLIOTHÈQUE étaient inscrits sur son front. Pour cette raison et aussi parce que le magasin de jeux vidéo un peu plus loin dans la rue était le rendez-vous du samedi matin du chef rouquin et de sa bande, il ne pouvait pas attendre à découvert sur le trottoir. La bande et ses suivistes provoquaient encore chez lui une nausée irrépressible et, le pire, c'était quand il les croisait en dehors du collège. Alors Indigo, collé contre la bibliothèque, ne s'aventurait à découvert que de temps à autre la tête levée. Il se racontait qu'il s'intéressait aux pigeons qui volaient en cercle, mais, en réalité, il cherchait à évaluer la hauteur du toit.

C'était très haut.

La bibliothèque était neuve et certains habitants de la ville en étaient très fiers, affirmant qu'elle ressemblait à l'opéra de Sydney. Bâtie en blocs de béton blanc, elle avait un toit plat d'où s'élevaient sept dômes imposants de verre et d'acier en forme de prismes. Indigo les contemplait en se disant que les pigeons avaient l'air gelés quand quelqu'un derrière lui lui demanda tranquillement :

— T'as un problème, Indigo ?

Indigo sursauta et fit volte-face.

— Oui, il a un problème ! dit Tom en répondant à sa propre question.

L'étui à guitare cabossé de Tom lui barrait les épaules et, adossé à un poteau télégraphique, il observait Indigo en train d'observer les pigeons. Il haussa les sourcils, Indigo se mit à rire, de bonne humeur sans raison.

— Regarde ça ! dit Tom en se retournant.

Indigo vit le dos de son étui à guitare. Il était sale, plein d'éclaboussures et marqué par l'empreinte d'une grosse semelle boueuse.

— Un de ces idiots qui traînent autour de l'école en se trouvant géniaux est arrivé derrière moi. Il m'a filé un méga-coup de pied.

— Qu'est-ce que t'as fait ?

— Je l'ai poussé sous un bus ! répliqua Tom sarcastiquement. J'ai rien fait du tout ! Qu'est-ce que je pouvais faire avec ça sur le dos et toute la bande qui regardait ? Je sais plus où ils sont maintenant. Ils ont disparu.

— Ils doivent être dans la boutique de jeux vidéo, dit Indigo. Regarde !

D'un signe de tête, il désigna le chef de bande rouquin qui les observait en souriant depuis le seuil d'une boutique. Il leur fit un geste grossier et disparut à l'intérieur.

— Tiens-moi ça ! ordonna Tom en détachant sa guitare. J'en ai pour une minute !

— Tom, non... commença Indigo.

Mais Tom cavalait déjà dans la rue.

Il entrouvrit la porte du magasin de jeu vidéo.

— Encore en train de voler à l'étalage, Rouquin ? Espèce d'escroc ! cria-t-il avec une telle force que tous les gens alentour se retournèrent.

— Tom ! s'exclama Indigo, partagé entre le rire et la peur. Il va te faire la peau !

— Il faudra d'abord qu'il me trouve ! dit Tom en

récupérant son étui à guitare dont il frotta délicatement les traces de boue. Regarde ce qu'ils ont fait ! Ça leur aurait été bien égal de le réduire en bouillie !

— Merci de l'avoir apportée.

— C'était le marché, dit Tom. La moitié du marché ! Maintenant, il faut que tu montes sur le toit ! Allons-y ! Avant qu'il pleuve et que le verre devienne glissant.

Indigo jeta un coup d'œil horrifié aux énormes dômes en espérant avoir mal entendu. Tom était déjà entré, il avait franchi les tourniquets, contourné les sièges sales où les vieux s'installaient quand il faisait froid et dépassé la rampe qui s'enfonçait dans le sous-sol sans fenêtre réservé aux livres pour enfants.

— Nous voilà dans les contreforts de la montagne, annonça-t-il à Indigo quand ils traversèrent la jungle grouillante des romans pour adultes, et voilà le sommet !

Le doigt pointé vers le ciel, il désignait l'énorme dôme central qui éclairait l'escalier principal, loin au-dessus de leur tête.

Ils grimpèrent jusqu'au premier étage (« Journaux », « Périodiques » et « Consultation générale ») puis jusqu'au deuxième (« Réservé à la consultation »).

— Il n'y a plus grand monde ici, remarqua Indigo en contemplant la foule qui s'entassait en bas.

— Non, acquiesça Tom. Ça montre qu'on prend de la hauteur !

Un bibliothécaire sympathique remarqua la guitare de Tom.

— Salut, les gars ! dit-il en souriant. La musique, c'est au troisième niveau.

— Merci, répondit Tom.

Le troisième étage était consacré entièrement à la musique. Des CD et des 33 tours par milliers. Des partitions au kilomètre. Dans des armoires ouvertes, sans surveillance, des instruments usagés légués par des musiciens morts. Si quelque chose pouvait ralentir Tom, se dit Indigo, ce serait ça, mais il se trompait.

— Très intéressant, commenta-t-il en passant rapidement.

Seule une affiche cornée représentant un homme avec un chapeau sur la tête retint son attention.

— Eh, regarde qui est ici en Angleterre ! Ce bon vieux Bob ! dit-il en s'arrêtant.

— Ah oui ! dit Indigo en essayant de faire comme s'il savait de quoi parlait Tom.

Mais Tom ne fut pas dupe.

— C'est Bob Dylan ! expliqua-t-il. Tu n'as jamais entendu parler de Bob Dylan ?

Voyant, à la tête que faisait Indigo que c'était (incroyablement) le cas, il reprit :

— C'est comme de n'avoir jamais entendu parler de... de...

— De l'Écosse ? suggéra Indigo.

— C'est où ça, l'Écosse ? Non ! De *La Guerre des étoiles* ! De Mickey !... Bon, c'est pas grave ! Je vais te dire qui adore Bob Dylan. Mon père. Il possède exactement la même affiche ! C'est une star du rock hippie vraiment vraiment vraiment vieux !

— Je croyais que c'était un astronaute qui jouait au baseball, remarqua Indigo.

— Mais tu vis sur quelle planète, Indigo ? s'exclama Tom abasourdi. C'est Bob Dylan la vieille star hippie, pas mon père ! Mon père... Tu faisais une blague, c'est ça ? Allez ! On continue !

Il n'y avait plus d'escalier principal, mais le dôme central était encore loin au-dessus de leurs têtes.

— Il y a d'autres salles là-haut, dit Tom en inspectant les hauteurs. Il doit bien y avoir un escalier quelque part. Derrière une porte, peut-être... Là !

Il montra une porte marquée d'une flèche pointée vers le haut, avec les mots « Vers la salle de lecture 1 ». Ils prirent l'escalier et arrivèrent dans un couloir vide barré à mi-chemin par un panneau.

« SILENCE ! EXAMENS EN COURS. »

Tom et Indigo s'arrêtèrent. On entendait des bruits de voix et le son d'un violon.

— Il doit s'agir d'examens de musique ! murmura Indigo.

— Bien, dit Tom. Nous avons un déguisement parfait ! Maintenant, par où on sort sur ce toit ?

— Par là, je pense, dit Indigo en désignant une porte au fond du couloir, marquée « RÉSERVÉ AU PERSONNEL ».

— Oui. On y va !

Indigo sur ses talons, Tom posait la main sur la poignée de la porte « RÉSERVÉ AU PERSONNEL » quand celle-ci s'ouvrit de l'autre côté. Un homme en sortit.

Tom poussa un gros soupir.

— Pourquoi les musiciens ne regardent-ils pas par la fenêtre, le matin ? demanda l'homme.

— Je ne sais pas, répondit Tom.

— Parce que s'ils le faisaient, ils n'auraient plus rien à faire l'après-midi ! Tu devrais être là-bas, jeune homme !

Il les ramena dans le couloir et les fit entrer dans une salle vide.

— Ça ne devrait pas durer trop longtemps ! remarqua-t-il aimablement. Fais des gammes en attendant ! Bonne chance !

— Tout ça fait partie du voyage ! dit Tom quand les pas se furent éloignés. On recommence !

Cette fois, ils réussirent à franchir la porte sans encombre ; ils passèrent devant une petite salle de repos, une sortie de secours et une armoire intelligemment marquée « CLÉS ».

— Tom ! s'écria Indigo choqué en voyant celui-ci ouvrir l'armoire, empocher le trousseau étiqueté « *Gardien* » et refermer la porte, le tout en une seconde.

— Fais-moi confiance ! dit Tom. Je suis musicien !

— Alors, tu n'es pas là où tu devrais être ! intervint une voix par derrière.

Et à nouveau, ils furent refoulés, cette fois par un gigantesque barbu qui les ramena directement dans leur salle d'attente et s'appuya contre le chambranle de la porte.

— Ton instrument est accordé ?

— Non.

— Alors, c'est le moment de s'y mettre.

Tom faisait une telle tête face à ce deuxième contretemps qu'Indigo ne put s'empêcher de rire. Tom n'y prêta pas attention, sortit sa guitare et se mit solennellement à l'accorder.

— Cesse de rire ! intima le bibliothécaire barbu à Indigo. Tu vas le rendre nerveux ! Je vais être obligé de vous laisser tous les deux. Restez tranquilles jusqu'à ce qu'on vous appelle et n'allez pas vous balader ! Jolie guitare ancienne.

Tom leva vivement les yeux pour voir s'il se moquait de lui.

— Le manche est faussé.

— Ah oui.

— Les boutons de réglage glissent et le dos est fendu.

— Quel dommage !

— Une fois, elle a été vraiment trempée.

— Ah là là ! dit le bibliothécaire en prenant la tangente.

— Pendant une tempête. Et vous voyez cette marque sur le dos ?

— J'ai bien peur de devoir vous abandonner maintenant !

— C'est un éclair qui a fait ça. Elle a été frappée par la foudre.

— Quelle déveine ! dit le bibliothécaire qui fila sans laisser à Tom le temps de lui raconter autre chose.

— On y va ! dit Tom.

Cette fois, ils réussirent à franchir la porte de service,

à passer devant l'armoire à clés et à tourner le coin. Là, un escalier étroit les amena devant une petite porte fermée. Tom sortit son trousseau volé, trouva la clé marquée « *Toit* » et quelques minutes plus tard, ils débouchaient enfin à l'air libre.

Le toit de la bibliothèque était plat, et les dômes en surgissaient comme une rangée de montagnes de verre. Il soufflait un vent froid et changeant, et les nuages, se dit Indigo, étaient trop proches pour être agréables. Il s'adossa contre la petite porte par laquelle ils étaient arrivés et s'efforça de ne pas penser à quelle hauteur ils se trouvaient.

Tom exultait, ivre de ciel, ivre de conquête et d'anarchie.

— Ouh ! Ouh ! Ouh ! criait-il. C'est nous que v'là !

Il tournait sur lui-même comme un fou.

— Et voilà ! On a réussi ! hurlait-il à la face des nuages echevelés.

Il défit la sangle de son étui à guitare et s'allongea sur le dos, bras et jambes écartés, sous le ciel balayé par le vent.

— Salut, les avions ! brailla-t-il.

Il courut le long du parapet, surexcité par l'altitude, effrayant les pigeons.

— Envolez-vous, petits zoziaux ! Hé ! appela-t-il soudain, viens, Indigo ! On va regarder en bas !

Un parapet qui leur arrivait aux genoux courait le long du toit. Tom se laissa glisser en travers, dans le vide jusqu'à la taille.

— Salut, les petits ! cria-t-il aux passants tout en bas. Je vois le magasin de musique ! ajouta-t-il.

— Ah bon ?

— Si je me penche vraiment beaucoup ! Il y a quelqu'un qui regarde les guitares dans la vitrine... Eh !

Tom fit un tel bond qu'il faillit perdre l'équilibre et Indigo sentit son estomac se retourner.

— Achetez pas ma guitare ! cria Tom dans la rue. Ils viennent juste d'entrer, expliqua-t-il à Indigo.

— J'aimerais bien que tu t'éloignes du bord, dit Indigo.

— S'il ressort avec ma guitare, dit Tom en retombant à genoux, je saute de ce toit et je la lui arrache des mains sans qu'il ait le temps de comprendre d'où je sors !

Alors, pour la première fois, Tom parut remarquer qu'Indigo ne s'amusait pas. Il l'observa de plus près et vit qu'Indigo semblait inquiet. « Non, pas inquiet pensa Tom. Il s'ennuie ? »

— Qu'est-ce qui t'arrive ? demanda-t-il, les sourcils levés.

Indigo était incapable de parler. Ses genoux allaient céder, il avait le vertige. La vue de Tom caracolant sur ce parapet lui donnait l'impression qu'on lui balançait de l'eau froide sur la tête.

— Viens regarder cette balle ! dit Tom toujours prêt à distraire le monde, refusant de voir Indigo s'ennuyer. Regarde comme elle rebondit !

Il sortit une balle de sa poche, s'agenouilla sur le

parapet, se pencha, la lâcha, et bascula presque cul par-dessus tête pour la voir atterrir. Terrifié, Indigo se jeta en avant pour lui attraper les chevilles et le tira à lui le plus fort qu'il put.

— Ouille ! cria Tom. Lâche-moi ! Ouille !

Sa chemise avait remonté sur son ventre et le parapet rugueux écorchait sa peau nue. Sa tête vint cogner brutalement contre la pierre et Indigo cessa de tirer.

— C'était encore une blague à ta manière ? demanda Tom en lui jetant un œil mauvais.

Puis il regarda Indigo plus attentivement. Celui-ci était vert-de-gris, couleur huître délavée.

— Tu as peur, constata Tom.

Recroquevillé contre un des dômes, Indigo avait la tête entre les genoux. Il respirait profondément, inspirant et soufflant comme quelqu'un au bord de la noyade.

— Peur ! répéta Tom.

Il attendait qu'Indigo réplique « Quoi, moi, peur ? » avant de se lancer dans la description de toutes les hauteurs infiniment plus hautes, plus dangereuses, plus folles que lui, Indigo, avait déjà explorées. S'il avait été Indigo, c'est ce qu'il aurait fait.

Indigo ne dit pas un mot.

— Peur ! répéta Tom pour la troisième fois et cette fois, Indigo releva la tête, le regard sombre et trouble.

— Oui, dit-il. Ne t'approche plus du bord, s'il te plaît.

Si n'importe qui d'autre (à l'exception sans doute de

Rose) avait dit cela à Tom, cela l'aurait poussé à faire de l'équilibre d'un bout à l'autre du parapet.

Mais avec Indigo, il était inutile de frimer. Indigo ne frimait pas avec lui.

— Je ne m'approcherai plus du bord, dit Tom (à sa propre surprise). Ne t'inquiète pas. Tout ira bien.

Indigo hocha la tête.

— Ça va aller, ajouta Tom d'une voix apaisante.

Tom lui-même se sentait plutôt bien ; et même vraiment très bien. Il était le chef de cette expédition, il prenait soin de son équipe. La semaine précédente, il avait eu du mal à accepter la responsabilité de Rose, de l'emmener du magasin de musique à la bibliothèque sans qu'elle se fasse écraser en route, mais c'était parce qu'il n'avait encore jamais fait une chose pareille. À présent, il avait de l'expérience. Ce n'était plus la première fois.

— Détends-toi, conseilla-t-il à Indigo. Avec moi, tout ira bien.

Indigo leva son visage ravagé et réussit à faire un petit sourire. Tom en fut content.

— Tiens la tête baissée tant que ça ne va pas mieux. On n'est pas pressés. Je suis là.

Il s'installa contre le dôme en face d'Indigo et prit sa guitare.

Le temps passa. C'était difficile de jouer, recroquevillé contre une surface en pente. Avec précaution, Tom se redressa. Il grattait doucement, pinçant les cordes en fredonnant. Dommage qu'il n'y ait nulle part où s'asseoir, là-haut sur le toit, mais il réussit à s'installer confortablement en se collant contre le verre. Sans quitter Indigo des yeux, il chercha quoi jouer avant de se souvenir de l'affiche sur le mur de la bibliothèque. Il sourit et se mit à chanter pour de bon.

Don't look down yet, Indigo, if people passing by...

— Écoute, Indy ! s'interrompit-il. Voilà une chanson de Bob Dylan !

... See you plastered on the sky...

L'endroit confortable qu'il avait trouvé était en fait le sommet du plus grand dôme. Il l'avait escaladé à reculons, sans même s'en apercevoir.

They will know that you can't fly, and start complaining !
And I think we would find it hard to quickly disappear
No place to hide up here...
On this jingle-jangle morning...[1] et maintenant il pleut...

Indigo, qui souriait déjà, leva les yeux, étonné, et se

1. Variation sur une chanson de Bob Dylan qu'on pourrait traduire ainsi : « Ne regarde pas encore en bas, Indigo, si les passants Te voyaient collé contre le ciel Ils sauraient que tu ne sais pas voler et commenceraient à se plaindre ! Et je crois que nous aurions du mal à disparaître en vitesse Il n'y a nulle cachette ici Dans ce petit matin discordant... »

mit à rire quand la pluie, qui s'était mise à tomber sans qu'il s'en aperçût, redoubla soudain de force.

— On devrait monter en haut du clocher de cette église un de ces jours, proposa Tom en voyant qu'Indigo était revenu à la vie. Ça te guérirait de ta peur de l'altitude ! D'ici, je vois à des kilomètres ! Plus loin que le collège ! Avant de partir, j'ai bien l'intention de monter sur le toit du collège… Qu'est-ce qui te prend ?

— À quoi tu crois que tu ressembles vu par en dessous ? s'enquit Indigo.

— Comment ça, par en dessous ? répéta Tom.

Il baissa alors la tête et comprit exactement ce que voulait dire Indigo. Le verre du dôme était sale et renforcé par un maillage d'acier, mais cela n'empêchait pas de voir au travers. Plein de petites taches de couleur, plein de gens qui montaient et descendaient l'escalier de la bibliothèque, et n'importe lequel d'entre eux pouvait lever les yeux et remarquer qu'il y avait quelqu'un sur le toit.

— Oups ! s'exclama Tom en se laissant glisser à toute vitesse. Il est temps de partir. Ça va maintenant ?

— Oui.

— Alors on s'arrache !

Ils quittèrent le ciel et refermèrent la porte du toit, rangèrent les clés et franchirent sans encombre la porte de service ; ils passèrent d'un pas nonchalant devant la salle où se déroulaient toujours les examens de musique.

Puis ils se retrouvèrent à l'étage du dessous

— Dis « Au revoir, Bob ! » dit Tom et Indigo, obligeamment, répéta : « Salut, Bob ! ».

À l'étage suivant, le bibliothécaire qui avait conseillé à Tom de faire quelques gammes leur sourit.

— Ça s'est bien passé ?

— Très bien, répondit Tom avant d'ajouter : J'en étais sûr !

En un tournemain, ils avaient rejoint la rue. Tom leva les yeux vers le plus haut des dômes.

— Il y a un pigeon installé à l'endroit où j'étais assis, remarqua-t-il.

Indigo baissa la tête et vit la balle de Tom, qui avait roulé dans le caniveau.

— Ça doit être notre jour de chance ! dit Tom.

— Attrape ! cria Indigo.

Il lança la balle et Tom la rattrapa. Puis Tom la lui relança et Indigo la rata et Tom dit :

— Mais comment peut-on rater un truc pareil !

— Allons voir Rose ! dit Indigo.

11

Pendant que Tom et Indigo étaient sur le toit de la bibliothèque, Rose se trouvait dans le cours du samedi matin de sa mère, qui cette semaine, était consacré aux T-shirts à slogans.

L'atmosphère vibrait d'insatisfaction. Même Ève, qui défendait ses élèves envers et contre tout, était bien forcée de reconnaître qu'ils n'étaient pas au mieux de leur forme le samedi matin.

— C'est à cause du vendredi soir, les pauvres chéris, disait-elle pour expliquer leur mauvaise humeur peu créatrice.

Elle voulait dire par là que les conséquences des soirées du vendredi échappaient à tout contrôle.

« Et moi, j'aurai des vendredi soir ? se demanda

Rose en examinant d'un œil distrait la salle de dessin. Oui. »

L'atmosphère de la salle était contagieuse et Rose commença à écrire une autre lettre mécontente à son père.

Papa chéri,

C'est Rose.

Maman m'a fait un T-shirt où il y a écrit Rose Saturée avec des lettres collées au fer pour montrer à tout le monde comment on fait.

Rose s'interrompit pour regarder autour d'elle. Au tableau, il y avait une liste de mots et d'expressions considérés par sa mère comme inopportuns pour la réalisation de T-shirts. On lui avait tant de fois posé les mêmes questions qu'elle avait fini par dresser une liste noire des mots interdits. À chaque cours, il y en avait un pour trouver un nouveau mot qu'elle inscrivait sans faiblir.

— On vous en apprend que vous connaissiez pas ? s'enquit un élève.

— Non chéri, répondit Ève avec une certaine mélancolie. Ça fait belle lurette que ça ne m'est pas arrivé.

Voilà les mots que j'apprends à écrire dans le cours de maman aujourd'hui, écrivit-elle.

Elle poussa un petit soupir et s'attela à la tâche épuisante de recopier ce qu'il y avait au tableau. Si seulement elle avait eu un nouveau drame à raconter. Elle craignait de ne pas trouver quelque chose d'assez atroce pour ramener son père à la maison. Elle avait de moins en moins d'espoir qu'en lisant une de ses lettres il pousse un cri d'horreur et vole à la rescousse.

À côté d'elle, un garçon nanti d'onéreuses extensions capillaires et de lunettes de soleil sombres achevait d'inscrire les mots LE CRIME PAIE en rose fluorescent sur un T-shirt noir. Rose l'observa couper les manches (« Ça sert à rien, les manches », lui expliqua-t-il gentiment), ôter son vieux tricot et enfiler le neuf à la place.

— Vous êtes cambrioleur ? demanda-t-elle, pleine d'espoir, en pensant à la guitare noire.

— Je ressemble à un cambrioleur ? riposta-t-il, indigné.

— Oui.

— Les gens se fient toujours aux apparences, dit-il d'un air fâché.

Il ôta son nouveau T-shirt et le roula en boule.

— Je peux le prendre si vous n'en voulez pas ? demanda Rose.

— Vas-y.

Le cours se termina enfin. Les élèves portaient leur œuvre ou la jetaient dans la poubelle. Ils s'enfuirent de la salle en poussant des grognements de soulagement et, brusquement, Ève et Rose se retrouvèrent seules.

Ève balaya les rognures de tissu et de papier de transfert. Rose dit « Ça sert à rien, les manches » et taillada celles de son T-shirt Rose Saturée, l'enfila et reprit le moral parce qu'Indigo devait ramener Tom à la maison ce jour-là.

Ensuite, elles transportèrent la caisse de T-shirts en rab jusqu'à la voiture, perdirent les clés et les retrouvèrent (sur un cordon autour du cou d'Ève), et sortaient à peine du parking lorsque Ève s'exclama : « Le fer ! », pila brutalement et courut à l'intérieur le débrancher.

Trois minutes plus tard, elles étaient arrivées au même point et, à nouveau, Ève pila comme une folle. « Cette affreuse liste ! » cria-t-elle, et elle se précipita une fois de plus à l'intérieur pour effacer le tableau. Elle ressortit, redémarra et demanda : « J'ai bien fermé les fenêtres ? »

Rose hocha la tête et, pour empêcher tout nouveau retard, s'enfonça les doigts dans les oreilles et ferma les yeux fort.

Lorsqu'elle les rouvrit, elles étaient à la maison ; Indigo et Tom leur faisaient signe à travers la vitre.

— Salut, Rose Saturée ! dit Tom.

Indigo prépara un déjeuner tardif pour tout le monde. C'était l'après-midi des révélations pour Tom. La première, ce fut de voir Indigo cuisiner. Il prépara des petits pains au bacon et des crêpes au sirop d'érable ; il fit sauter les crêpes jusqu'au plafond, comme Caddy le lui avait appris la semaine précédente, et les rattrapa à la perfection dans la poêle.

— Pourquoi tu sais rattraper des crêpes et pas une balle ? demanda Tom.

— Question d'entraînement, répondit Indigo.

Quand il fut question d'apporter des crêpes à Ève dans sa cabane, Tom se proposa.

En effet, à peine descendue de voiture, elle avait marmonné : « Faut que j'aille voir si mes chats sont toujours collants » et elle avait filé dans le jardin. Et elle n'était pas revenue, ce qui avait éveillé la curiosité de Tom. Les chats devaient être drôlement collants pour la retenir si longtemps.

Il pensait la trouver en train de les nettoyer énergiquement. Il fut donc extrêmement surpris de voir Ève confortablement endormie sur un canapé rose passé, sans le moindre chat collant en vue. Il la secoua pour la réveiller.

— Je vous ai apporté des crêpes et je crois que vos chats se sont enfuis.

— Chéri, marmonna Ève en ramenant une vieille robe de chambre à rayures par-dessus sa tête, pas de conversation surréaliste, je t'en prie !

Elle se rendormit.

Tom ressortit de la cabane, indigné devant le peu de cas qu'on faisait des initiatives d'Indigo. Chez lui, en Amérique, il était habitué à ce que la moindre de ses contributions à la vie familiale (et il n'y en avait guère eu ces dernières années) recueille les applaudissements les plus frénétiques. Une offrande aussi spectaculaire que des crêpes aurait probablement fini sous verre. Il revint dans la cuisine où Sarah, après avoir réparti les petits pains au bacon et les crêpes, frottait les assiettes grasses appuyée contre l'évier.

C'était la première fois que Tom la voyait sans son fauteuil et c'était plutôt déconcertant.

— C'est normal qu'elle fasse ça ? chuchota-t-il à Indigo.

— C'est son tour, répliqua Indigo avec une certaine dureté, d'après Tom.

Il ne fut pas du tout étonné quand, quelques instants plus tard, Sarah se mit soudain à gémir.

— Oh mes jambes ! Mes jambes ! Prends le torchon, vite, Tom ! Tout se brouille !

Tom prit aussitôt le torchon et fit la vaisselle pendant une éternité avant de s'apercevoir que Safran, Sarah et Rose essuyaient les assiettes et les lui repassaient en boucle.

— Rose ! dit Tom d'un ton plein de reproche.

— Tu n'as même pas regardé mon dessin, dit Rose.

— Si.

— Pas attentivement.

Tom posa le torchon et traversa la cuisine pour regarder de près le dessin de Rose. Il regarda longtemps, longtemps, longtemps et finit par dire :

— T'as fait tout ça toute seule ?

Rose hocha la tête.

— Waouh ! dit Tom.

Rose entreprit de lui présenter les gens qui comptaient dans sa vie.

— Voilà Caddy qui est à l'université à Londres. Elle va bientôt rentrer à la maison, pour l'été. Voilà Derek-du-camp, qui était son petit ami. Ça c'est Michael, qui dit qu'il va l'épouser. Il y a la mère de Sarah qui apporte le déjeuner du dimanche en bateau, et là c'est Sarah à côté de Safran. Et voilà notre mère endormie près de la cheminée, et moi, à côté d'Indigo. Il peut pas tomber... Ça, c'est la fusée de ton père.

— Ah bon ?

— Et au-dessus, c'est ta mère. Qui s'occupe des ours. Cette île, c'est l'Amérique. Vue de loin.

— Ça ressemble tout à fait, dit Tom.

— Et là, c'est quand j'ai commencé à essayer de te dessiner. C'est le meilleur endroit parce que tu peux t'appuyer contre la cheminée...

— C'était ma place avant, interrompit Sarah. On m'a virée ! Je suis très mal traitée dans cette maison !

— ... Mais j'arrive pas à bien faire la guitare, continua Rose sans se soucier de Sarah. J'arrive pas à faire tes mains pour qu'elles aient l'air de la tenir.

Tom chercha des yeux l'étui de sa guitare mais Indigo le lui tendait déjà. Il sortit son instrument et s'assit, la tenant bien en main. Rose le regarda attentivement et se mit au travail.

Les sourcils froncés de concentration, Rose dessinait dessinait dessinait et Tom restait assis patiemment, jouant de temps à autre, discutant. Une fois, il leva les yeux et vit Indigo lui sourire. Il haussa les sourcils et se mit à gratter du bout des doigts une cascade compliquée de notes.

— Joue ça encore, demanda Sarah. C'était magnifique.

Tom recommença. Il était heureux. Pas un bonheur déchaîné, un bonheur du septième ciel, mais un bonheur paisible, ordinaire, satisfait. Un sentiment tellement inhabituel qu'il le remarqua.

Au bout d'un moment, Sarah et Safran partirent chez Sarah, et Rose en eut assez de dessiner. Tom apprit à Indigo comment tenir une guitare et Rose, se souvenant de sa maladresse dans le magasin de musique ce matin-là, vint regarder. L'obscurité bourdonnante de l'ouverture derrière les cordes l'intriguait.

— Qu'est-ce qu'il y a dans le trou ? demanda-t-elle.

— Rien, répondit Tom. Enfin, rien qu'une vieille étiquette... Regarde.

— Qu'est-ce qu'il y a écrit ?

— *Admira*, lui dit Tom sans avoir besoin de vérifier. C'est la marque de la guitare.

— Et les petites lettres en dessous ?

— *Fabricado en España*, je crois, dit Tom.

Il se pencha sur sa guitare pour scruter les lettres effacées et inspira une bouffée de l'odeur intérieure, une odeur âcre légèrement moisie, faite de bois, de poussière et de vernis.

— *Fabricado en España...*

Sa voix baissa. Il prit une profonde inspiration. L'intérieur de la guitare lui rappela si brutalement sa maison que, d'un seul coup, il se retrouva à cinq mille kilomètres de là. Il n'aurait pas été étonné d'entendre le bourdonnement de la circulation ou un bruit de portières familier. Il aurait pu jurer avoir entendu un bébé pleurer.

Il n'aurait pas été plus surpris s'il avait vu un fantôme.

Lorsque Tom sortit de sa stupeur, ce fut pour découvrir Rose et Indigo qui le dévisageaient avec ahurissement.

— Tu as les mains qui tremblent, dit Rose.

— J'ai eu une vision, dit-il d'un ton d'excuse. J'étais... C'était vraiment bizarre... L'odeur à l'intérieur de ma guitare !

Ils reniflèrent poliment mais secouèrent la tête. L'odeur ne leur disait absolument rien.

— J'ai senti un truc abominable, dit Tom. J'en frissonne...

C'était l'odeur du ressentiment. De la colère impuissante qui monte quand on se sent entraîné dans une vie dont on ne veut pas. Et des mois et des mois et des mois passés à bouder dans sa chambre. Ça sentait les portes fermées derrière lesquelles s'élaboraient en chuchotant des stratégies pour le faire céder lui, Tom, le problème de la famille. Pour qu'il soit heureux.

Chez lui, en Amérique, on s'était donné beaucoup de mal pour qu'il cède et accepte d'être heureux.

— Vous vous êtes donné beaucoup trop de mal ! avait remarqué avec sévérité sa grand-mère anglaise, lorsque le père de Tom lui avait annoncé que Tom souhaitait partir à des millions de kilomètres. Mais ça ne me dérange pas de vous le récupérer un petit moment. Ça vous fera des vacances et Tom, ça le tuera pas ! Évidemment, il faudra qu'il aille en classe, pas question qu'il me traîne dans les pattes toute la journée et il pourra m'aider à m'occuper des chats en rentrant. Si ça lui plaît de se livrer à ses colères puériles, moi, ça ne me dérange pas ! Je suis vaccinée contre les colères ! avait-elle affirmé complaisamment. Envoyez-le ici, pas de problème !

Ainsi Tom, sur sa propre demande, était parti en Angleterre puisque c'était le plus loin qu'on pouvait faire en terme de millions de kilomètres. Il n'y était pas plus heureux qu'en Amérique et sa vie était moins douillette. En outre, chez sa grand-mère, il n'était plus le centre du monde même s'il s'arrangeait pour tenir ce rôle au collège. Il se sentait terriblement seul. Il n'aimait pas l'Angleterre et il n'aimait pas sa maison. Avant de passer cet après-midi chez les Casson, Tom n'avait envie d'être nulle part.

Quand Ève émergea enfin de sa cabane en fin d'après-midi et vit que Tom était toujours là, elle lui proposa gentiment un bout du parquet dans la chambre d'Indigo pour passer la nuit.

— Il vaut mieux que j'y aille, dit Tom à contrecœur.

— Reviens demain, proposa Indigo. On n'attend personne d'autre.

— Ah bon ? dit Rose en regardant Ève d'un air plein d'espoir.

— Je ne crois pas, chérie, répondit Ève en secouant la tête. En tout cas, pas papa !

— Méchant papa ! dit Rose.

— Rose !

— J'ai raconté à Tom qu'il ne revenait plus jamais à la maison, dit Rose sans le moindre remords, et Tom dit...

— Alors, à demain ! l'interrompit Tom bruyamment tandis qu'au même moment Indigo ordonnait :

— Ferme-la, Rose !

— Oh d'accord, dit Rose.

Mais lorsque Tom fut parti, elle termina la lettre qu'elle avait commencé durant le cours de dessin. Tout en alignant des croix représentant des bises, elle se dit avec satisfaction qu'elle n'en avait jamais écrit d'aussi terrifiante.

Tom dit qu'un jour bientôt tu reviendras et tu diras Surprise, voilà ma nouvelle femme et mon nouveau bébé.

Et tu voudras qu'on soit contents.

Bisous,

Rose.

La nuit était tombée lorsque Tom arriva chez sa grand-mère. Il était si tard qu'elle était inquiète.

— Je sais que tu n'es pas un champion de la communication, mais tu aurais pu téléphoner, se plaignit-elle. Où étais-tu ?

— Chez Indigo. On s'est retrouvés en ville.

— Le grand garçon mince avec le bébé ?

— Ce n'est pas un bébé.

— Elle a dû l'être autrefois. Comment s'appelle-t-elle ?

— Rose, répondit Tom. Ils ont tous des noms de couleur.

Leur mère les a choisis sur une charte des couleurs. Cadmium, Safran, Indigo et Rose.

— Quels jolis noms !

— Leurs parents sont des artistes, lui expliqua Tom, heureux de pouvoir parler à quelqu'un de ses nouveaux amis. Leur mère peint des tableaux dans une cabane au fond du jardin mais leur père est à Londres. Il ne revient plus très souvent à la maison. Et en réalité, Safran est leur cousine. Elle a été adoptée.

— Il existe toutes sortes de familles, commenta la grand-mère et la plupart d'entre elles réussissent à s'entendre.

Tom demeura silencieux.

— Amène Rose voir mes chats un de ces jours. Les siamois. Je suis sûre que ça lui plaira. Mais il va falloir que tu lui expliques que je ne suis pas une sorcière. Je parie qu'elle sera déçue !

Tom la regarda, ébahi. Elle ne s'était encore jamais montrée aussi amicale.

— Toutes sortes de familles, répéta-t-elle, les yeux fixés sur le ciel qui s'éclaircissait. Tu apprendras. Et maintenant, viens manger.

Lorsque la lettre de Rose arriva à Londres, son père en fut tellement inquiet qu'il appela Ève le jour même.

— Tu ne t'imagines pas les mots qu'elle me dit avoir appris, commença-t-il et il se mit à les lui lire.

— Oh ! dit Ève en riant, je m'en souviens. Ma liste de mots interdits ! Je les ai écrits au tableau pour mon cours de dessin du samedi matin. Nous réalisions des T-shirts. D'ailleurs, elle en a mis un ce matin pour aller à l'école. Il lui descendait jusqu'aux genoux et il y avait écrit LE CRIME PAIE en grosses lettres roses sur le devant...

— Mais de quoi elle avait l'air ? s'exclama Bill, consterné.

— Eh bien, ce n'était pas très sayant, admit Ève. Même si Sarah et Safran avaient réussi à lui attacher les cheveux en deux petites nattes adorables...

— Le crime paie !

— Évidemment, Rose sait que ce n'est pas vrai, dit Ève d'une voix apaisante. Ou rarement. Généralement pas. Même si je dois dire que certains de mes élèves ont l'air de considérer...

— J'aimerais que tu n'emmènes pas Rose assister à tes cours, dit Bill, énervé. Écoute un peu le langage qu'elle ramasse. Et si tu me le demandes, ce que tu enseignes n'est pas exactement...

Ève posa doucement le récepteur sur la table et se mit à fredonner en triant le contenu de son sac à main. Au bout de deux minutes, elle reprit l'appareil.

— Tu as absolument raison, chéri ! dit-elle vivement. Il faut que je me dépêche !

Elle raccrocha.

— Qui était-ce ? demanda Rose qui arrivait.

— Papa.

— Oh.

— Il a adoré ta lettre, dit Ève, improvisant en vitesse.

— Il l'a adorée ?

— Il était très intéressé par les T-shirts. Et la liste de mots (et je sais que tu ne les utiliseras jamais de la vie, Rose chérie).

— Qu'est-ce qu'il a dit d'autre ?

— Je n'ai pas très bien compris la fin.

— Il va venir nous voir ?

— Absolument pour de bon, dit Ève en serrant Rose contre elle.

12

— Il existe toutes sortes de familles, avait fait remarquer la grand-mère de Tom.

Durant les semaines qui suivirent, Tom devint partie intégrante de la famille Casson, comme Michael, Sarah et Derekle-militant l'avaient fait avant lui.

Il s'aperçut immédiatement que devenir membre de cette famille n'était pas la même chose qu'être un ami accueilli avec plaisir. Si on appartenait à la famille Casson, par exemple quand Ève émergeait de sa cabane en disant : « Manger quelque chose ? Quelqu'un a une idée ? Ou on laisse tomber ? », il fallait se joindre à la fouille en règle des placards de la cuisine ou compter l'argent qui restait dans la boîte à biscuits qui servait de porte-monnaie pour calculer combien de pizzas on pouvait s'offrir. Quand on appartenait à la famille, on devait aussi s'occuper de Rose, l'aider à faire ses devoirs (Sarah et Safran étaient très strictes sur la question), et en outre on vidait la machine à laver, on apprenait à replier le fauteuil roulant de Sarah, on partait à la chasse aux clés de voiture et on s'accrochait à la théorie pleine d'espoir selon laquelle, dans l'éventualité d'une crise, Bill Casson s'arracherait à son artistique vie londonienne pour se précipiter au secours de la famille.

Si Tom comprenait un certain nombre de choses, Indigo dut lui en expliquer d'autres. Indigo, Tom commençait à s'en rendre compte, était loin d'être idiot, même s'il avait peur de l'altitude, du chef de bande rouquin et de ses copains les suivistes.

Durant ces journées froides et lumineuses, mais si peu estivales, le chef de bande rouquin rôdait toujours dans les parages.

Il était souvent malheureux.

Entre autres, à cause de Tom. L'arrogance de Tom lui était une douleur en plein cœur. Une autre raison, encore pire, c'était qu'il n'avait toujours pas gagné sa longue bataille contre Indigo. Avec tout l'acharnement qu'il y avait mis, il n'avait obtenu aucun résultat à ce jour. C'était incompréhensible. Pourquoi ne l'avait-il pas écrasé quand il était au sommet de sa puissance, alors qu'Indigo était aussi nerveux et solitaire qu'un fantôme en plein jour ?

Le fait qu'Indigo, de tous les combattants certainement le plus désespérant, pût résister si longtemps, torturait le chef rouquin comme une fièvre.

Il se mit à houspiller sa foule de suivistes pour les amener à davantage de performance.

La tâche était ardue. Il fallait beaucoup plus motiver les troupes qu'avant. Trois d'entre eux, Josh, Marcus et David, étaient quasiment inutiles. Ils disparaissaient dès qu'il y avait du sale boulot à faire. En outre, le chef avait bien l'impression que les autres commençaient à les imiter.

Durant la journée, le rouquin riait de ces idées ridicules, mais, le soir, il se tournait et se retournait dans son lit, les yeux ouverts, à chercher des preuves de ce qu'il ressentait.

Des preuves, il n'y en avait guère. Pourtant, il entendait murmurer dans son dos.

Il contre-attaqua rapidement, car pour lui rien ne comptait davantage que sa position de chef. Dans la bande, la discipline devint féroce et il y eut bien des incidents déplaisants. D'un autre côté, la loyauté fut récompensée comme elle ne l'avait jamais été.

Jadis, le chef rouquin avait soigneusement évité de toucher la foule de ses adorateurs : à présent, un bras passé autour de leurs épaules molles et couvertes de pellicule, il les traitait de héros. Il leur en tapait cinq sans hésiter. Même pour les plus ternes et les moins intéressants, il inventait des surnoms sybillins et flatteurs. Sa présence vigilante empêchait tout aparté. Il était partout.

Lorsque cette tactique eut remis ses troupes en

forme, il annonça qu'il ne fallait plus laisser Indigo Casson dans son coin. Indigo et Tom, expliqua-t-il, faisaient maintenant équipe. Indigo était à l'abri depuis bien trop longtemps.

Personne n'osa lui rappeler la visite de Safran et Sarah le premier jour du trimestre. Personne ne chercha à faire alliance pour se rebeller. À l'exception de quelques coups d'œil furtifs, que le chef enregistra avec rage. La situation n'était plus aussi favorable que jadis, à l'époque de sa toute-puissance, mais il restait encore suffisamment de suivistes courageux et fidèles pour pourrir la vie de Tom et Indigo et la rendre nauséabonde pendant un bon moment.

— T'as un problème, Indigo ? demanda Tom d'un ton sarcastique, tandis qu'Indigo nettoyait aux toilettes de la crotte de chien collée sur sa veste, à la fin d'une journée de cours.

— Pas du tout, répliqua Indigo.

— Eh ben, t'as tort. Regarde ce que tu es en train de faire !

— Et voilà, c'est propre !

— Écoute. On est deux. On va aller les voir histoire de savoir combien on peut en rétamer avant qu'ils nous écrasent.

— Ça marchera pas, dit Indigo en présentant la tache mouillée de sa veste sous le séchoir à mains.

— Explique ! Explique ! Explique ! ordonna Tom en frappant Indigo entre les omoplates.

— Plus tu fais attention à eux, pire ils sont. Je parie

qu'ils adoreraient avoir l'occasion de nous aplatir comme des crêpes. Ils vont tous s'y mettre. Et Rose finira par l'apprendre.

— Et alors ?

— Elle sera vraiment mal si on revient aplatis.

— Je pense que cette petite Rose est plus résistante que tu ne l'imagines, fit remarquer Tom.

— Peut-être.

— Bien plus résistante ! On n'a qu'à l'emmener quand on montera en haut du clocher.

— On va monter en haut du clocher ? demanda Indigo, étonné.

Ils avaient déjà tenté l'expédition une fois, mais c'était fermé pour travaux.

— Évidemment qu'on va monter en haut du clocher, dit Tom. C'est rouvert. Trois cent soixante-cinq marches, d'après ma grand-mère.

Il fit rebondir une balle jusqu'au plafond et la rattrapa de la main gauche. La droite avait été coincée dans une porte de classe et il avait les quatre doigts bleuis.

— Tu vas pouvoir jouer de la guitare avec la main comme ça ? demanda Indigo en la regardant.

— Je crois bien. Mais c'est un peu raide. J'aurais pas pu si ça avait été l'autre.

— Qu'est-ce que tu vas dire à Rose ?

— Je lui dirais que je me suis coincé la main dans une porte, évidemment.

Cette semaine-là, Rose termina sa fresque en y ajoutant les touches finales, une vision de la moto de Derek-du-camp par une des fenêtres de la chambre du haut, une bague de fiançailles au doigt de Caddy (« de la part de Michael ») et un supplément d'ailerons de requin rôdant au milieu des vagues. Durant les quelques jours qui suivirent, tous ceux qui approchaient la maison étaient tenus de l'admirer. Le laitier déclara qu'elle était une petite jeune fille sacrement maligne. Le facteur dit : « Eh ben dis donc ! » et lui serra la main. La mère de Sarah dit que c'était un exploit remarquable. Le père de Sarah demanda : « Où est ce bon vieux Bill ? »

Rose montra les requins.

Ève dit qu'il fallait vaporiser du fixatif dessus et, un samedi midi, elle revint de la faculté avec trois grands bidons de produit.

— Je détesterais voir cette fresque abîmée, expliqua-t-elle à Rose.

— J'imagine que je ferais bien d'aller acheter une bague, dit Michael. C'est quoi ?

Rose répondit que c'était un grand gros diamant.

Derek-le-militant, qui était passé prendre un café et (expliqua-t-il à Rose) voir si Ève était amoureuse de lui (conseillé par Rose, il avait perdu tout espoir pour Caddy), affirma qu'il connaissait des artistes dûment rétribués qui n'en avaient jamais fait autant.

Rose dit qu'elle en connaissait aussi.

Puis tout le monde aida à vaporiser le fixatif, ce qui se révéla une tâche gigantesque. La fresque terminée était tellement vaste que même en ouvrant portes et fenêtres, les vapeurs que répandait le produit obligèrent les admirateurs de Rose à se retirer l'un après l'autre, le souffle court et les yeux brûlants, bien avant d'avoir terminé. Il revint à Tom, en tant que dernier arrivé dans la famille, de boucler le travail.

— Un brave gars ! remarqua Michael lorsque Tom sortit dans le jardin d'un pas chancelant, en agitant triomphalement le dernier bidon vide.

— Alors, demanda Derek en posant son bras vêtu de cuir noir sur l'épaule d'Ève tout en faisant un clin d'œil à Rose, dans combien de temps tu repars aux États-Unis ?

— Pas avant une éternité, rétorqua Rose sans laisser à Tom le temps de répondre. Enlève ton bras de l'épaule de ma mère !

— Pas avant l'été, intervint Tom.

— Alors, c'est pour bientôt ? dit Derek en plantant un gros baiser sonore sur l'oreille d'Ève. AÏE ! ROSE !

— Bien fait pour toi ! commenta Rose en l'observant sautiller en rond avec l'air de souffrir énormément.

Derek remonta la jambe de son jean pour inspecter les dégâts.

— Non, mais regarde-moi ça ! marmonna-t-il.

— Hideux ! dit Safran en pouffant.

— Tu pourrais pas te les raser, non ? s'enquit Sarah.

— Ève, regarde ! Regarde le coup de pied que ta fille m'a donné ! Ça fait un gros bleu !

— Mmmmm, répondit Ève en s'esquivant vers sa cabane.

— Bien, dit Derek. Manifestement, Rose a raison. Personne ne m'aime. Moi aussi, je ferais peut-être mieux de partir en Amérique ! Tu es impatient de retrouver la civilisation, Tom ?

— Je viens de te le dire, répliqua Tom un peu agacé, je ne rentre pas avant longtemps. Pas avant l'été.

— L'été, c'est maintenant, mon pote.

— Tu penses pas que tu devrais retourner dans ton camp ? suggéra Rose.

— Peut-être que si, acquiesça Derek. Je retourne à ma manifestation non-violente !

Il serra la main de Tom avant de partir en disant qu'il espérait le revoir et, prenant Rose à part, il s'accroupit pour être à sa hauteur et lui demanda très gentiment :

— Ça te rend triste que Tom rentre chez lui, Rose Saturée ?

— Non.

— Alors, c'est très bien. Le monde est tout petit, tu sais !

— Ah bon ?

— Il rapetisse tous les jours. Tu verras.

— Tu as encore mal à la jambe ?

— Plus du tout.

— Bien, conclut Rose.

Après le départ de Derek, Tom emprunta une poignée de pastels à Rose, installa Indigo contre le mur de la maison et leur fit la démonstration de son lancer de balles. Cependant, il n'avait pas vraiment le cœur à ça, sa dernière balle faillit arracher l'oreille droite d'Indigo et il ne réussit pas à la rattraper.

— Comment as-tu pu louper une balle pareille ? demanda doucement Indigo.

— Manque de concentration, répliqua Tom avec lassitude.

Généralement, il était très doué pour s'empêcher de penser aux choses auxquelles il ne souhaitait pas réfléchir. Cette fois, ça ne marchait pas si bien que ça. Aucun doute, le temps passait, s'avoua-t-il à lui-même tout en observant Rose qui, en reliant les taches de pastel sur le mur, faisait surgir un squelette.

Ce soir-là, chez sa grand-mère, Tom escalada la fenêtre de sa chambre pour monter sur le toit du porche, un chemin désormais familier. Il resta assis là un long moment, serrant sa guitare contre lui en pensant à son foyer.

Ces jours-ci, son foyer paraissait bien bien loin.

Tom avait changé de vie aussi radicalement que s'il s'était installé sur une autre planète. Il n'avait pas écrit la moindre lettre ni répondu à un seul coup de fil. De façon totalement délibérée, il avait tourné le dos et il était parti.

À l'aéroport, lors de son dernier jour en Amérique, son père avait dit :

— Personne ne souhaite que tu fasses une chose pareille.

Tom avait haussé les épaules.

— Tom. Parlons-en. Il n'est pas trop tard pour parler.

— Parle alors, avait répliqué Tom en sortant une balle de sa poche.

— Tom, veux-tu revenir avec moi pour essayer encore une fois de régler la situation ?

— Non.

— C'est comme ça, alors ? C'est tout ce que tu as à dire ?

— À toi de régler la situation, riposta Tom avec entêtement. C'est ton problème.

Son père commença à parler, mais s'interrompit. Il posa la main sur l'épaule de Tom, sans peser, comme une caresse.

— Tu as des suggestions ?

Tom n'avait aucune suggestion, il avait une solution. Une solution à laquelle il avait songé des semaines auparavant, mais qu'il avait gardée pour lui-même, refusant d'être celui qui la formulerait. Il savait que son père y avait déjà pensé.

Au temps jadis, lorsque Tom et son père formaient une famille, ils se comprenaient.

Tom ne savait pas pourquoi ce n'était plus ainsi. Debout dans l'aéroport, il jouait avec sa balle tout en faisant la queue pour enregistrer sa valise.

— Tu connais la réponse ! déclarait-il à son père silencieusement. Je sais que tu la connais !

— Tom ? dit son père, Tom, tu t'en souviens quand on a voulu fêter Noël deux fois ?

C'était une vieille plaisanterie entre eux. Tom avait

six ans, on était en février et il neigeait. Ils avaient passé Noël sur la côte mexicaine et, pour les six ans de Tom, cela avait été une catastrophe absolue. Le soleil, les dauphins et les cadeaux sur la plage, ce n'était pas l'idée qu'il se faisait de Noël.

Et puis ils étaient rentrés et, à la fin de l'hiver, il y avait eu des chutes de neige. Pour Tom, c'était un gâchis. En regardant les gros flocons gris tomber dans la lumière des réverbères, il avait demandé :

— Pourquoi on fêterait pas deux fois Noël ?

— Pourquoi pas ? avait répliqué son père, grandiose.

Et ça avait bien failli se faire. Ils avaient enveloppé leurs cadeaux et acheté une dinde. Ils avaient même fini par dénicher un arbre, non sans difficulté. Mais le temps de le trouver, cet arbre, la neige avait fondu et là où on vendait encore des sapins, on vendait aussi des décorations de Pâques. Le père de Tom voulait décorer l'arbre avec des poussins jaunes et des œufs peints, mais Tom s'y était opposé.

— Papa, avait-il déclaré à contrecœur alors qu'il avait convaincu son père, je ne crois pas que ça va marcher. On peut pas fêter Noël deux fois !

Alors, parmi la petite foule de gens qui s'était rassemblée autour d'eux pendant qu'ils discutaient, une voix grave, profonde s'éleva soudain :

— Le gamin a raison !

Et parfois, des années après, le père de Tom lâchait brusquement sur le même ton :

— Le gamin a raison !

C'était la fois où ils avaient voulu fêter Noël deux fois.

Se rappeler cet épisode dans l'aéroport bondé, ça avait fait quelque chose à Tom. Dans la queue de l'enregistrement, il avait tourné la tête pour passer son doigt sous chacun de ses yeux, mine de rien, pour que personne ne remarque.

— Ne va pas au bout de cette histoire, dit son père.

À ce moment, Tom renonça à l'entendre prononcer la solution à tout ce malheur qui les avait amenés à cet endroit.

— Elle pourrait l'emmener quelque part ailleurs, finit-il par dire. N'importe où. Simplement, pas dans notre maison...

Il s'interrompit parce qu'il sentait le regard de son père, sombre et pénétrant sur le haut de son crâne.

Choqué aussi.

Peut-être, pensa Tom surpris, cette solution n'était-elle pas venue à l'esprit de son père. Peut-être était-ce la raison pour laquelle il était brusquement silencieux.

Tom reprit, un peu plus gentiment :

— Tu pourrais aller les voir... autant que tu le voudrais. Autant. Pas de problème.

Son père ne se fâcha pas. Ne fit aucune remarque saracastique. Il restait silencieux, pensif.

Il réfléchit, se dit Tom.

— Ça marche avec maman et moi, avait-il fait remarquer.

Mais c'était tellement loin de la vérité qu'il fut obligé

d'ajouter : La plupart du temps. Ça marcherait, corrigea-t-il, si elle ne s'accrochait pas à son minable petit ami...

— Non, répondit son père comme s'il n'avait rien entendu de tout cela. Ça ne se produira pas. Ce n'est pas une solution. Jamais de la vie... Je n'arrive pas à croire que tu aies pu imaginer une chose pareille, Tom ! Personne ne part nulle part.

— Si, moi, avait répliqué Tom, plus fâché que jamais.

À l'enregistrement, leur tour était arrivé et la première chose qu'il donna pour qu'on l'étiquette et qu'on la charge dans l'avion, ce fut sa guitare. Puis son gros sac et, enfin, son sac à dos. Il n'adressa plus la parole à son père.

Voilà ce qui s'était passé le jour où Tom avait pris l'avion pour l'Angleterre. Assis sur le toit au-dessus du porche de la maison de sa grand-mère, il se rappelait tout cela. Il pensait à son foyer et il pensait à Indigo et Rose.

— Je ne veux jamais y retourner, dit-il à voix haute.

13

Rose broyait du noir. Elle traînait dans la maison, en disant qu'elle n'avait rien à faire.

— Et dessiner ? suggéra Caddy qui téléphonait de Londres.

— Mon tableau est fini.

— Eh, commences-en un autre. Le dernier était tellement réussi, tout le monde l'a dit.

— Pas l'affreux papa, répondit Rose d'un ton sinistre. Caddy ?

— Oui ?

— Quand tu vas te marier avec Michael ?

— Quoi ! Comment tu le sais ? C'était censé être un secret ! De toute façon, pas avant une éternité.

— Où vous habiterez ?

— Dieu seul le sait !

— Comment tu vas t'habiller ?

— Sans doute quelque chose de très moulant, dit Caddy qui avait énormément réfléchi à cet aspect du mariage (mais à aucun autre). Un ensemble argenté avec des grosses paillettes partout.

— Tu ressembleras à un poisson.

— Ou rose. Rose vraiment vif ?

— Tu peux pas faire ça, dit Rose.

Brusquement, son visage s'illumina parce que, par la fenêtre, elle venait de voir Indigo. Tom l'accompagnait et il avait sa guitare.

— Salut, Rose Saturée ! dit Tom.

— À qui tu parles ? s'enquit Indigo.

— À Caddy. Caddy, c'est Indigo et Tom ! Caddy ne sait pas quoi mettre pour son mariage avec Michael ! Un ensemble argenté moulant avec des paillettes comme un poisson ou rose vif, mais ça, j'ai dit que c'était pas possible.

— Ma mère portait une robe de cow-girl, fit remarquer Tom en sortant sa guitare.

— Et ton père, il était habillé comment ? demanda Indigo. Avec son costume de spationaute ? Ou juste sa casquette de baseball ?

Tom se jeta sur lui, ils roulèrent à terre.

— Dis-lui de mettre ce truc court noir et brillant avec des longs gants qu'elle avait à l'enterrement de grand-père, cria Indigo en se dégageant de l'emprise de Tom, qui s'était assis sur lui.

— Dis-lui une robe de cow-girl ! brailla Tom.

— Je les ai entendus, dit Caddy. Quelles idées abominables ! Trouve quelque chose, Rose chérie !

Rose dit qu'elle ne trouvait rien d'autre que dentelle et satin blancs pas amusants, avec traîne de plusieurs kilomètres. Ce qui décrivait exactement la robe dont Caddy rêvait secrètement depuis qu'elle avait cinq ans, elle dit donc « Parfait ! » et raccrocha sans laisser à Rose le temps d'expliquer que c'était une plaisanterie.

Tom était couché à plat dos, retenant sa guitare avec sa jambe. Il pinça les cordes pour se faire la main pendant une minute puis il se mit à chanter :

Quand je me suis réveillée ce matin
j'étais vêtue dentelle et satin...

— C'est une vraie chanson ? demanda Rose incrédule. Ou tu viens juste de l'inventer ?

— Les deux, répondit Tom sans cesser de jouer.

Pas de petit truc noir et brillant
Avec les gants épatants
Qu'Indigo aime tant
(t'as un problème, Indigo ?)

Indigo lui écrasa la tête sous un coussin.

Pas argenté
comme les écailles d'un poisson
(chantait Tom sous le coussin)
Pas de rose

a dit Rose qui sait de quoi elle cause
Je me suis réveillée ce matin
Dentelle et satin
Avec une sacrée crise de cafard...

Tandis que Rose et Indigo riaient aux éclats, il continua sa mélodie.

— C'est censé sonner comme une harpe, leur expliqua-t-il en jouant. J'ai appris ça quand je débutais et j'y ai rajouté des morceaux... J'aimerais bien que cette guitare reste accordée cinq minutes d'affilée !

— C'est peut-être parce que tu joues la tête en bas, dit Indigo.

— C'est parce que les cordes ne restent pas tendues, expliqua Tom. Sans parler du fait que le dos est fendu, le manche faussé et que, de toute façon, ce n'est pas le modèle adapté... N'empêche, mieux vaut que tu apprennes dans le bon sens, Indigo. Allez, c'est ton tour !

Pour Indigo, ce n'était pas la première leçon de guitare. Il y en avait eu plusieurs, certaines chez les Casson, d'autres chez Tom, sur le toit du porche.

— L'endroit idéal, disait Tom. On ne se soucie pas de l'altitude quand on est en train de jouer de la guitare et si on joue, alors, à l'évidence, on n'est pas inquiet de l'altitude !

C'était vrai et ça marchait. Indigo appréciait beaucoup d'être sur le toit et il apprenait à une vitesse qui stupéfiait Tom. Ses doigts ne tâtonnaient pas et il repérait ses erreurs aussi vite que Tom.

— Tu as besoin de travailler, dit Tom. Mais tu seras bientôt très bon.

Il y avait un inconvénient à ce qu'Indigo apprît la guitare. Un instrument pour deux, c'était compliqué. Cela signifiait le trimballer tout le temps d'un bout à l'autre de la ville. Ce qui faisait de Tom une cible évidente pour le rouquin et sa bande. Un soir, il fut repéré et, le lendemain, suivi. Le troisième jour, il fut pourchassé et arriva chez les Casson sale, hors d'haleine et plus perturbé qu'Indigo ne l'avait jamais vu.

— Il y en a deux qui m'ont sauté dessus et d'autres sont arrivés en renfort, expliqua-t-il tandis qu'ils examinaient les dégâts dans la chambre d'Indigo. Ils m'ont arraché mon étui à guitare pour essayer de l'ouvrir. S'ils avaient compris qu'il suffisait de pousser les deux loquets en même temps, ils auraient réussi. Dommage que ce ne soit pas fermé à clé.

— Comment tu l'as récupérée ? demanda Indigo.

— J'ai attrapé celui qui essayait de l'ouvrir par la peau du cou et je... Salut, Rose !

— Qu'est-ce que tu racontes à Indigo ? voulut savoir Rose, soupçonneuse. Pourquoi t'es plein de boue ? Et qu'est-ce que tu as à la figure ?

— Pas grand-chose. J'ai tellement faim ! Tu voudrais pas aller me préparer un sandwich, Rose ?

— Tout à l'heure.

— Et quelque chose à boire ?

— Pourquoi tu vas pas prendre de l'eau dans la salle de bains ?

— Rose, dit Indigo. Casse-toi.

— Ah d'accord, dit Rose.

— Donc, reprit Tom quand elle fut partie, je tenais Jason et les autres me tiraient par derrière et Jason toussait et se débattait et puis quelqu'un a crié « On se tire ! » Et devine qui c'est qu'est arrivé ? Le proviseur ! Il est descendu de voiture et il a dit : « Qu'est-ce qui se passe ici ? » J'ai regardé autour de moi, il ne restait plus que Jason et moi. Tous les autres avaient disparu.

« Le proviseur est resté là. Jason avait d'horribles marques rouges sur le cou, on avait l'impression que quelqu'un avait essayé de le tuer et, moi, j'avais le nez plein de sang parce qu'il m'avait donné un coup de boule.

« Alors le proviseur a dit à Jason : "C'est quoi, ces marques que tu as sur le cou ?" et Jason a répondu : "Je savais pas que j'avais des marques, monsieur", comme si ça lui était bien égal tout ça.

— Il n'a pas vu ton nez ? demanda Indigo.

— Mais si. Il m'a posé la question et je lui ai dit que c'était quand j'avais éternué. Alors, il a dit, vraiment en colère : « Rentrez chez vous, tous les deux ! » Alors Jason est parti, moi j'ai ramassé ma guitare et je suis venu ici.

— Ils t'ont encore suivi ?

— Non. J'ai vérifié tout le temps. Et chaque fois que je me retournais pour regarder, le proviseur était toujours là, à observer... Il ne m'aime pas.

— Il n'aime personne, dit Indigo. Regarde, j'ai nettoyé ton étui. C'est un peu cassé autour d'une des serrures.

— C'est là où ils ont donné des coups de pied. Je sais ce qu'ils auraient fait s'ils avaient réussi à l'ouvrir. Ils l'auraient jeté à l'eau. J'ai entendu Jason le dire. On était à côté du pont quand ils m'ont chopé.

— Je connais ce Jason ! claironna Rose de derrière la porte où elle avait tout écouté. Son frère est dans mon école. Si vous voulez, je peux lui donner une raclée.

— Essaie seulement ! s'énerva Indigo. Ne t'occupe pas de cette histoire. Ça ne te concerne en rien, pas plus que le frère de Jason.

— Et si j'étais plus forte que Jason ?

— Non merci, Rose, dit Tom en riant. Laisse-le tranquille.

— Je sais très bien me bagarrer, dit tristement Rose. Pourquoi vous me laissez toujours en dehors ?

— C'est pas vrai, dit Indigo. Mais tu peux pas passer ton temps à attaquer tout le monde.

— Pourquoi pas ?

— Parce que tu n'es qu'une petite môme, répliqua Tom agacé.

Sans se soucier du regard indigné de Rose, il sortit sa guitare et entreprit de l'accorder.

— Je vais te montrer quelques accords, dit-il à Indigo.

Il entreprit de lui montrer comment placer ses mains et bouger ses doigts. Indigo et lui furent bientôt si absorbés que Rose s'ennuya. Elle avait toujours considéré que jouer d'un instrument, ça devait venir naturellement, comme le dessin, et tout ce travail, tous ces efforts lui paraissaient extrêmement fastidieux.

Au bout d'un moment, elle quitta la chambre et, trouvant Sarah en bas, l'enrôla pour l'aider à écrire une autre lettre à son père.

— Je te dirai les mots et toi, tu les écriras, proposa-t-elle. Ça ira plus vite que si c'est moi. Et on pourra en écrire long.

— D'accord.

— Tu rajouteras rien et tu retireras rien non plus ?

— Bien sûr que non. En piste !

— Commence *Papa chéri*, dicta Rose.

Papa chéri,

C'est Rose.

Très bonne nouvelle Caddy se marie avec Michael. Au cas où tu aurais oublié parce que ça fait tellement longtemps que tu es pas revenu à la maison c'est celui avec la queue-de-cheval et la boucle d'oreille que t'aimes pas. Mais nous si. Et Caddy dit qu'elle aura une robe blanche dentelle et satin et trois demoiselles d'honneur Safran Sarah et moi et une grande fête pour tout le monde, avec tous ses petits amis. Feu d'artifice. Un orchestre. Une grande tente. Mais où on la mettra ? Des charrettes tirées par des chevaux pour qu'on aille tous à l'église. Après, Caddy et Michael partiront en vacances en Australie pour aller voir la Grande Barrière de corail. Caddy a tout organisé et maman dit Oui évidemment-elle-peut-

évidemment-tu-peux-chérie-évidemment-tu-dois-faire-ça. Safran dit que Ça coûtera-un-peu-d'argent et maman dit oui-mais-on-n'a-pas-besoin-de-s'en-faire-pour-ça-PAPA-pAIERA.

Gros bisous,

Rose.

Sarah écrivit fidèlement chaque mot, sans en ajouter et sans en enlever et trouva ce message tellement drôle que Rose se mit en colère.

— C'est pour lui faire peur, expliqua-t-elle.

— Ça fait peur, confirma Sarah.

Lorsque Tom repartit chez lui ce soir-là, il laissa sa guitare dans la chambre d'Indigo.

— C'est idiot de ma part de la trimballer tous les jours.

Indigo comprit. Même si Tom se plaignait beaucoup de sa guitare, c'était infiniment mieux de l'avoir que pas de guitare du tout. Après cet incident, elle resta chez les Casson et Tom y passa de plus en plus de temps.

— Ta musique commence à me manquer, remarqua la grand-mère de Tom un soir pendant qu'ils lavaient la vaisselle ensemble.

— J'ignorais que ça te plaisait ! s'exclama Tom, sidéré.

— Bien sûr que si !

— Je pourrais la rapporter.

— Non, non ! Ça n'en vaut pas la peine alors que

tu t'en vas très bientôt. Le temps a passé si vite. Je ne m'y attendais pas quand tu as débarqué ici.

— Moi non plus, dit Tom qui s'interrompit avant de poser la question qui lui tournait en tête depuis un petit moment. Grand-mère, est-ce que je peux rester un peu plus ? Après la fin du trimestre ?

— Tom !

— Je pourrais t'aider. Avec les chats et tout ça.

— Mais Tom, il n'a jamais été question que ça dure plus longtemps que le trimestre ! Ton père prend sur son travail pour venir te chercher. Et ton billet d'avion est réservé...

— On pourrait le changer.

— Et on ne peut pas dire que...

Elle se tut, refusant de dire ce qu'elle s'apprêtait à dire, que le séjour de Tom en Angleterre n'a pas été une réussite.

— ... tu étais très heureux ici...

— Je le suis maintenant.

— Ah bon ?

La grand-mère de Tom cessa de laver la vaisselle pour l'observer attentivement.

— Oui, reprit-elle, c'est peut-être vrai. S'il n'en tenait qu'à moi, Tom, tu pourrais rester et je serais contente de te garder. Mais il va falloir que tu en parles à ton père.

Le visage de Tom se ferma comme si on venait d'éteindre une lampe à l'intérieur.

Après cela, les jours se mirent à passer très vite. Caddy était sur le point de rentrer, ce qui sortit Ève de sa cabane pour une débauche de ménage. Elle aida Rose à repeindre tous les espaces vides du mur de la cuisine, autour de son tableau, avec du doré métallisé mat qui faisait somptueusement ressortir les eaux tumultueuses et le ciel. En outre, elles repoussèrent tout un tas de choses sous les lits et les canapés, débarrassèrent la pelouse du cimetière des cochons d'Inde et, sur l'insistance de Rose, allèrent faire des courses de nourriture.

— De la vraie nourriture ! insista sévèrement Rose lorsque Ève, qui était partie toute seule, revint avec des fraises et des cerises. De la nourriture de supermarché ! ordonna-t-elle en tirant Ève dehors.

Puis Caddy débarqua, chargée de cadeaux, écrasée de dettes et peu de temps après son arrivée « scintillante de diamants », dit Sarah.

— Un seul diamant, rectifia Saffy.

— Mais très gros, fit remarquer Sarah.

— Tellement large, dit Sarah, qu'on a du mal à croire qu'on l'a payé. À moins que ce ne soit qu'un gros morceau de verre.

— C'est un vrai, dit Rose. Je l'ai choisi. Je suis allé l'acheter avec Michael. Et on l'a payé. Je l'ai vu faire. Alors.

— Alors, acquiesça Caddy paisiblement.

Elle s'installa dans les vacances, passant ses soirées à travailler dans un pub et ses journées à se bronzer dans le jardin.

— Se bronzer ! dit Tom en regardant le ciel gris et blanc.

Toutes ces histoires de bronzage lui déplaisaient. Il considérait quc c'était une occupation bien trop estivale. Une partie de lui continuait à nier que l'été allait bientôt venir et, pour l'instant, la météo anglaise était complètement de son côté.

— Il commence à faire chaud, dit Indigo.

— Chaud ! répliqua Tom d'un ton méprisant.

— Et pourtant, renchérit Rose, on n'a plus besoin de manteaux.

— Vous ne les quittez jamais, fit remarquer Tom.

Indigo lui expliqua que l'été en Angleterre, on portait son manteau sur le bras au lieu de l'enfiler. Il n'y a qu'en août, pendant quelques jours d'insouciance, qu'on peut se permettre de le laisser chez soi...

— Quel pays ! dit Tom en lançant sa balle à Indigo. Attrape ! Eh, tu l'as eue ! Quand va-t-on monter en haut du clocher ? Samedi ?

— D'accord, samedi, acquiesça Indigo.

Ils y allèrent et emmenèrent Rose vêtue de son T-shirt Rose Saturée.

— Pourquoi Rose Saturée ? demanda Tom tandis qu'ils grimpaient les marches de pierre usées de l'étroit escalier en colimaçon qui montait en haut du clocher.

— C'est une blague, expliqua Indigo. C'est le nom d'une couleur de peinture.

Et il raconta à Tom comment on avait donné ce nom à Rose alors qu'elle était très petite et très malade, un bébé si peu accroché à la vie.

— J'avais un trou dans le cœur, dit Rose par-dessus son épaule. Il a fallu qu'on me le suture. C'est pas vrai, Indy ?

— Si, dit Indigo.

— J'ai failli mourir, déclara fièrement Rose. Et quand le trou a été suturé, j'ai attrapé autre chose dont j'oublie toujours le nom.

— Une pneumonie, dit Indigo. Ralentis un peu, Rose.

— Et j'ai encore failli mourir. Ça m'a pris une éternité pour commencer à me rétablir. C'est grâce à Caddy, Safran et Indigo. Chacun leur tour.

— Chacun leur tour de quoi ? voulut savoir Indigo.

— De me guérir. Ils me regardaient fixement et disaient : « Guéristoiguéristoiguéristoiguéristoi. » Tout le temps.

— Pas tout le temps, dit Indigo. Mais souvent. Pour pas que t'oublies.

— Tu me donnais des petits coups de coude.

— Juste pour vérifier que tu étais toujours vivante.

— Je sais. Ça me dérangeait pas.

— Tu avais quel âge ? demanda Tom.

— Un an.

— Tu ne peux pas réellement avoir des souvenirs de cette période.

— Mais si. Je me souviens comme si c'était hier de la tête d'Indigo qui me regardait à travers les barreaux jaunes en disant « Guéristoiguéristoigué-ristoiguéristoi. »

— Quels barreaux jaunes ?

— Ceux de mon lit, dit Rose.

Tom s'arrêta brutalement, si bien qu'Indigo le heurta par derrière.

— Ah oui ! s'écria-t-il. Les barreaux du lit ! Je me souviens que je me mettais debout et que je mordais le haut.

— Tu vois jusqu'où peuvent remonter les souvenirs, dit Rose.

Tom s'arrêta pour réfléchir et finit par dire d'un ton triomphant :

— Je me souviens de ma mère disant « Viens voir maman ! » Elle devait encore vivre avec nous. Elle est partie travailler à Yellowstone quand je n'avais pas encore deux ans.

— Mince alors ! Encore pire que l'affreux papa ! s'exclama Rose.

— Si je m'en souviens bien, ça ne m'a pas du tout dérangé. Elle m'a dit qu'elle devait aller s'occuper des ours. Elle m'envoyait des dessins d'eux qu'elle avait faits elle-même. Elle les bordait dans leur lit et elle leur faisait leurs lacets...

— Mon pauvre.

— Non non, dit Tom en reprenant son ascension. J'allais bien. Après son départ, tout était plus tranquille. Et elle m'envoie encore des dessins d'ours de temps en temps.

Ils atteignirent alors le sommet et durent se concentrer pour empêcher Rose de trop se pencher au-dessus du parapet. Indigo était content de voir qu'il se sentait étonnamment bien. Pas absolument à l'aise, mais pas non plus très mal.

— Ne regarde pas en bas, lui conseilla Tom. Regarde au loin. Regarde ce toit plat en haut de l'école ! Je parie que personne n'est monté dessus depuis des siècles !

— Comment on peut monter dessus ? demanda Rose.

— Facile, répondit Tom. Derrière, on prend l'échelle d'incendie et on arrive sur le toit de la cuisine. On le traverse jusqu'au porche. On le longe pour arriver au pied du toit de verre en pente du pavillon de dessin. C'est pas du verre aux angles, c'est carreaux et métal j'ai vérifié. Ensuite, on monte en se collant au mur à l'endroit où il rejoint la tour du bâtiment principal. De là, on escalade la tour. Ça ne fait qu'un étage supplémentaire et il y a des barreaux jusqu'en haut. Ça doit dater du temps où il y avait une échelle d'incendie avant la construction du pavillon.

— Mais t'as tout prévu ! s'exclama Indigo, éberlué.

— Ça fait des semaines que je prépare mon coup, dit Tom. Tu m'accompagnes, Indigo ?

— Peut-être un de ces jours.

— À quoi bon dire un de ces jours ? dit Tom changeant brutalement d'humeur, comme cela lui arrivait trop souvent. D'ici deux semaines, vous savez où je serai ?

La discussion avec le père de Tom n'avait pas été un succès. La grand-mère de Tom avait d'abord essayé et une fois qu'elle eut échoué, Tom lui-même s'était jeté à l'eau. Il avait été accueilli avec une colère froide.

— Durant tout ce temps où tu étais loin, avait dit le père de Tom, tu ne t'es pas manifesté une seule fois. Pas un appel téléphonique. Pas un mot. Pas de carte d'anniversaire pour ta sœur. Rien. En outre, nous avons reçu trois lettres de l'école qui a si généreusement accepté de t'accueillir. Ils se plaignent de toi. Tu as été une calamité et tu n'as rien appris. Et moi j'ai décidé, durant ta longue et paisible absence, que tu as été assez gâté comme ça et qu'il est GRAND TEMPS QUE TU RENTRES CHEZ TOI POUR APPRENDRE À TE CONDUIRE CONVENABLEMENT !

— Où tu seras ? demanda Rose. Où tu seras d'ici deux semaines ?

— Dans l'avion du retour, répondit Tom.

14

Pour la première fois depuis qu'il allait à l'école, Indigo n'attendait pas la fin du trimestre avec impatience. Il aurait dû, pourtant, parce que l'été s'annonçait prometteur. Caddy avait dépensé ses trois premières semaines de salaire pour acheter une voiture en ruine et affirmait être prête à conduire tout le monde partout. Ève envisageait des voyages à Londres (« Bien sûr que ça fera plaisir à papa ! »). Derek leur avait proposé de venir dans son camp.

Indigo aurait bien échangé tout ça contre la possibilité de garder son ami. Le départ de Tom le faisait souffrir, il lui manquait d'avance.

Rose aussi était désespérée mais, contrairement à Indigo, elle n'essayait pas de dissimuler ses sentiments. Quand Rose était malheureuse, elle était de mauvaise humeur. Elle repoussait furieusement toutes les tentatives de réconfort.

— Mais Rose, dit son père qui manquait toujours dc tact, même au téléphone, si je comprends bien, Tom est en réalité beaucoup plus l'ami d'Indigo que le tien ! Discutons de quelque chose d'amusant ! Le mariage de Caddy ? Ça c'est amusant !

— Tu parles d'un truc amusant ! rétorqua Rose. Sarah a dit que ça devait te ruiner !

Caddy, Safran et Sarah se trouvaient elles aussi sous le feu au moindre prétexte. Tom et Indigo eurent droit au pire traitement ; ils pouvaient à peine adresser la parole à Rose sans se faire rembarrer. Elle les soupçonnait (avec raison) d'être tristes pour elle.

Une autre semaine passa et les derniers jours du trimestre se rapprochèrent. Les cours devaient se terminer un mercredi. Le père de Tom arrivait en Angleterre le lendemain et, le samedi, il ramenait Tom chez lui. C'était comme ça. Il n'y avait pas à discuter, rien à espérer, rien à changer. Tom ne parlait plus de son père, ni de l'astronaute, ni du joueur de baseball, ni du rocker – hippie – vieux – vraiment – vieux. Ni même de cet homme qui avait su si bien prendre soin de lui qu'il s'était à peine aperçu du départ de sa mère, quand elle avait rejoint ses ours dans le parc national de Yellowstone.

Indigo et lui parlaient d'autre chose. De la bande et de son chef rouquin.

— Essaie de ne pas te faire massacrer, conseillait Tom.

— J'ai déjà essayé, répondait Indigo.

— Je n'avais pas remarqué.

— Eh, regarde-moi aujourd'hui ! Suis-je massacré ?

— Pas encore.

Ils discutaient de la guitare noire. Tom était retourné dans le magasin de musique et avait pu rester un long moment sans être dérangé, jouant dans la réserve mal éclairée, au milieu des caisses poussiéreuses et des instruments abandonnés qui attendaient d'être réparés.

— Si je cesse d'y aller, ils la remettront en vitrine, dit-il à Indigo.

— Je continuerai à ta place.

— Tu peux toujours essayer.

— J'emmènerai Rose, dit Indigo comme on dirait « Je viendrai avec les gendarmes ».

Ce qui arracha un sourire à Tom.

Durant ces derniers jours, Tom revenait souvent à sa vieille idée d'escalader le toit de l'école. Un après-midi, il emmena Indigo de l'autre côté du bâtiment et lui montra le chemin.

— Non merci, dit Indigo.

— Viens, Indigo ! On allumera un feu de joie là-haut !

— Non.

— D'accord. Pas de feu de joie. Qu'est-ce qui t'arrive, Indigo ? T'as un problème ?

Indigo se mit à rire.

— Ce serait un bon endroit pour réfléchir, insista Tom.

— Je m'en souviendrai, répondit Indigo. Des fois que j'aurais besoin de réfléchir.

Tom lui lança une balle, une de celles dont il avait récupéré un sac entier le matin même. Le proviseur en avait fait une petite cérémonie.

— J'espère que tu reviendras nous voir, avait-il dit en toisant Tom. Ta visite a été une expérience enrichissante pour nous tous... violente parfois... (il jeta un coup d'œil à Jason) mais intéressante. Ça, c'est à toi... Je suis ravi d'avoir l'occasion de te le rendre en personne.

Il tendit alors à Tom un vieux sac en plastique rempli de balles confisquées aussi solennellement que s'il lui remettait un antique et précieux héritage.

— Tu as élargi nos perspectives, déclara-t-il à Tom.

(Le chef de bande rouquin ricana avant de pousser un cri en recevant une des balles confisquées, un coup bien visé, droit sur l'oreille gauche.)

— ... Tu as élargi nos perspectives, répéta le proviseur en observant avec bienveillance Tom récupérer sa balle, ce qui est le but fondamental de toute bonne éducation... Garderons-nous le contact ?

— Non monsieur, répondit Tom.

— Mmmm, dit le proviseur, inconsolable.

Il quitta la salle sans se soucier le moins du monde de l'indignation du chef de bande rouquin. Aucun des suivistes n'avait manifestement envie de rentrer dans le chou de Tom, armé comme il l'était d'un sac plein de missiles en caoutchouc, avec une immunité garantie. Pour la même raison, ils ne s'attaquèrent pas plus à Indigo. Ou presque pas. Le chef de bande rouquin l'avait coincé dans la mêlée près de la porte.

— On sait où t'habites, Casson, siffla-t-il, l'œil brillant de méchanceté. N'oublie pas ! Quand il sera reparti chez lui, nous on sait où t'habites !

Et il ajouta, quand il fut loin, assez loin, presque hors de portée :

— Toi et ta sale petite sœur !

Le dernier jour du trimestre, l'école de Rose fermait en fin de matinée. Ça se passait toujours ainsi. Il fallait que les plus jeunes aient le temps de rentrer chez eux se mettre à l'abri avant que les plus vieux, d'humeur chahuteuse à cause de la fin des cours, soient lâchés dans les rues.

La matinée se déroulait suivant son emploi du temps habituel : la fin de la dernière assemblée de l'année, une ultime distribution d'objets trouvés, les photos et les dédicaces de T-shirts pour ceux qui quittaient définitivement l'école. Rose fut l'une des dernières à partir, sa signature était très recherchée, tant par les filles que par les garçons. On l'appréciait, même si elle l'ignorait. Elle dessinait une rose.

Et ce fut la fin de la matinée, on prit les dernières photos, on signa les derniers T-shirts. Il y eut même quelques larmes à essuyer furtivement. Et l'école se retrouva brusquement vide. À l'heure du déjeuner, Rose était chez elle.

Elle trouva sa mère dans la cabane, en train de peindre, à l'aide d'une poignée de plumes vertes et se fiant à quelques photos floues, un portrait aussi ressemblant que possible d'un perroquet mort depuis belle lurette.

— Qu'est-ce que tu en penses, chérie ? demanda-t-elle en voyant Rose arriver.

— Il n'a qu'une patte, remarqua Rose en scrutant une photo.

— Je sais. C'est pour ça que je l'ai peint de profil.

— Il est mort ?

— Depuis des années.

— C'est bien ce que je pensais, dit Rose en examinant le portrait d'un œil critique. Et pour le déjeuner ? finit-elle par demander.

Ève abandonna son perroquet et la suivit immédiatement. Dans la cuisine, elle prépara du chocolat chaud et des tartines de beurre de cacahuète, estimant que Rose avait vraiment besoin d'être réconfortée. Elles mangèrent dans un silence confortable, admirant pour la centième fois la magnifique œuvre d'art de Rose sur le mur de la cuisine.

— Rose, commença Ève au bout d'un moment, je voulais te dire... à propos de Tom...

— Le perroquet était né avec une seule patte ? l'interrompit vivement Rose, la bouche pleine.

— Non, non. Il a eu un accident...

— Alors, tu devrais le peindre avec deux pattes. Comme il était avant son accident. Je ne veux pas parler de Tom. Tu devrais le peindre jeune, ce perroquet.

Avec deux pattes. Je voudrais bien avoir quatre cent cinquante livres.

— Moi aussi je voudrais bien les avoir.

— Pourquoi, qu'est-ce que tu en ferais ?

— Je te les donnerais, dit Ève, plutôt étonnée de cette question. Je pourrais peut-être essayer de peindre ce perroquet avec deux pattes. Et si ça ne marche pas, je pourrais toujours en effacer une.

Rose acquiesça d'un signe de tête.

— Tu viens m'aider ?

— Je viendrai voir quand tu auras fini.

— Tu pourrais me tenir compagnie, me faire la conversation. Je m'ennuie dans cette cabane.

— Tu ne t'ennuies pas vraiment.

— On laisse tomber le perroquet, Rose chérie, et on va faire quelque chose de complètement différent ! On pourrait... on pourrait... Aller au supermarché acheter un festin pour quand tout le monde rentrera !

Rose fut tellement touchée par l'héroïsme de cette proposition qu'elle se leva pour enlacer sa mère.

— Excellente idée, non ? demanda Ève en la berçant contre elle.

— Non.

— Oh, Rose !

— Je voudrais bien voir le perroquet avec deux pattes.

— Je vais le faire tout de suite, répondit Ève en essayant de ne pas être triste de voir Rose s'échapper de ses bras.

Une fois Ève repartie dans sa cabane, Rose monta

dans la chambre d'Indigo. La guitare de Tom était posée sur le lit, dans son étui. Rose la sortit, mais elle n'essaya pas de jouer. Elle posa doucement sa joue contre le bois écorché et demeura ainsi un bon moment.

Puis elle se redressa.

Elle retourna la guitare pour examiner la fente du dos. À écouter Tom en parler, on aurait pu croire que la guitare entière allait se casser en deux, mais aux yeux de Rose, la fente était très petite, longue mais à peine de la largeur d'un ongle.

Il devrait la combler avec de la colle, songea Rose.

En bas, dans le tiroir de la cuisine, il y avait un trésor, des trucs pour réparer, des colles, des rubans adhésifs, des tournevis et des trucs comme ça.

Rose descendit fouiller.

L'étiquette d'un des tubes de colle disait qu'elle était plus solide qu'un ongle. Rose le remonta dans la chambre d'Indigo, ainsi qu'un bidon de cire à meubles, un chiffon à poussière et le rouleau d'adhésif que Derek avait entortillé une fois autour du joint d'un robinet qui fuyait. Rose l'avait regardé faire et, bien des fois, Tom lui avait montré à quel point les clés de la guitare étaient trop lâches.

La cire marcha merveilleusement, ôtant les traces de doigts et masquant les éraflures. Plus elle frottait, plus son moral remontait. Tom pourrait la peindre en noir, se dit-elle. Moi, je ne la peindrai pas, décida Rose vertueusement, mais Tom pourra le faire.

À cirer les cordes et les touches, le chiffon à poussière devint gris foncé.

Toute cette saleté envolée ! pensa Rose avec satisfaction. Encouragée par ce succès, elle s'attaqua aux chevilles glissantes. Elle avait l'intention de les entourer d'adhésif comme Derek l'avait fait pour le joint du robinet. Si ça fonctionnait comme elle l'espérait, elles seraient plus serrées et plus résistantes et si ça ne fonctionnait pas, on pourrait toujours enlever l'adhésif sans problème.

Chaque cheville était en forme de petite vis qui faisait tourner un rouage servant à lâcher ou resserrer la corde. Rose dévissa, dévissa. Les cordes devinrent si molles qu'elles finirent par s'échapper et, libérées, s'enroulèrent autour de ses bras, dans les mèches de ses cheveux. Elle les fourra dans la rosace pour s'en débarrasser. Mais les chevilles ne venaient toujours pas. Rose examina à nouveau la façon dont elles étaient fixées et partit chercher un tournevis.

En un tournemain, les six étaient détachées, ainsi qu'un tas d'autres choses. Les chevilles, les petits engrenages et les vis minuscules, sans compter les plaques métalliques qui tenaient le tout. Rose empila les pièces détachées au milieu du lit en se disant bravement, je sais dans quel ordre les remettre.

— Je sais dans quel ordre les remettre, affirma-t-elle à voix haute, même si elle osait à peine les regarder. Je vais m'attaquer à la colle et, après, je les trie.

Une peur glacée commençait à s'insinuer en elle, quelque part dans le ventre.

— Rien n'est cassé, déclara-t-elle avec loyauté, en ignorant cette peur.

Le dos consomma une quantité incroyable de colle et Rose comprit pourquoi au bout d'un moment. Au lieu de devenir plus dure qu'un ongle et de combler la fente, la colle dégoulinait. Elle coulait à l'intérieur de la guitare. Il y en avait déjà plein les cordes. Ça les collait l'une à l'autre et à tout ce qu'elles touchaient. Ça collait de la poussière et des cheveux sur le bois ciré et il y en avait même sur la couette d'Indigo. Puis il y en eut sur le tas de choses que Rose n'osait pas regarder. Il y en avait partout.

Terrifiée, Rose se mit à pleurer.

En bas, le téléphone sonna. Automatiquement, Rose bondit parce que c'était toujours elle qui sautait sur le téléphone. Elle dévala l'escalier, décrocha : c'était son père.

— Je viens aux nouvelles ! s'exclama-t-il gaiement.

Rose ne pouvait pas parler. Elle sanglotait dans l'appareil, incapable de s'arrêter. Tout là-bas, à Londres, elle entendait son père crier désespérément.

— Rose, qu'est-ce qu'il y a ? Qu'est-ce qui se passe ? Rose ? Parle-moi, Rose !

— Papa, papa ! gémit Rose.

— Rose, tu es blessée ? Quelqu'un est blessé ?

— Quelque chose d'épouvantable ! J'ai fait quelque chose d'épouvantable !

— Rose ! Rose, tu es toute seule ?

— J'ai fait quelque chose d'épouvantable, sanglota

Rose. Épouvantable, épouvantable ! Papa, viens, papa, viens vite ! J'ai fait quelque chose d'épouvantable !

Pour ce dernier jour de classe, les cours de Tom et Indigo finissaient plus tôt que d'habitude. Ils revinrent ensemble chez la grand-mère de Tom sans beaucoup parler. Le ciel était clair et très bleu, les traces des avions restaient longtemps et les avions eux-mêmes étaient bien visibles, comme des flèches translucides.

— Ça paraît toujours tellement bizarre de penser qu'il y a des gens dedans, remarqua Tom, des gens en train de lire le journal, de regarder un film ou de boire un verre...

Sa voix mourut et Indigo ne répondit pas.

Chez Tom, des ennuis les attendaient. La première chose qu'ils virent en entrant, ce fut la grand-mère qui fixait le téléphone comme s'il venait juste de l'attaquer.

— Qu'est-ce qui se passe ? demanda Tom, inquiet.

— Tu ne peux pas rentrer, répondit-elle abruptement, sans essayer d'enrober la nouvelle.

— Je ne peux pas ? demanda Tom en la regardant d'un air surpris. Je ne peux pas rentrer à la maison ? répéta-t-il, ravi, tandis qu'il enregistrait l'information.

— Non. Ton père vient de téléphoner. Il ne vient pas.

— Génial !

— Frannie est à l'hôpital. Elle est très malade. Elle est dans une unité de soins intensifs... Frances... Pauvre petite Frances...

— Alors combien de temps je peux rester ? l'interrompit Tom avec entrain. Dis-moi ce qu'il a dit !

— Elle est très très malade. Elle a une méningite, Tom. Ce n'est qu'un bébé.

La grand-mère de Tom se détourna brusquement. Consterné, Tom regarda Indigo et articula :

— Elle pleure ?

Indigo hocha la tête.

La méthode habituelle de Tom face aux situations stressantes, c'était de fuir le plus loin possible et de penser à autre chose. Si ce n'était pas possible, il faisait rebondir une balle et pensait à autre chose. Cependant, en l'occurrence, aucune de ces deux solutions n'était adaptée.

— Essaie de ne pas t'inquiéter, grand-mère ! dit-il en tapotant maladroitement le dos de sa grand-mère.

Il jeta un coup d'œil à Indigo, leva les sourcils et désigna la porte d'un signe de tête, offrant héroïquement à son ami une occasion de s'échapper.

Indigo secoua la tête.

Tom eut l'air soulagé et tapa dans le dos de sa grand-mère avec un peu plus de conviction. On avait plutôt l'impression qu'il tambourinait dessus, vite et fort.

— Qui est Frances ? chuchota Indigo.

— C'est une gamine, marmonna Tom d'un ton très évasif.

— Mais quelle gamine ?

Tom regardait partout sauf dans la direction d'Indigo.

— C'est... euh... la gamine de mon père... marmonna-t-il alors que le tambourinement se transformait en une série de coups secs.

Ce qui parut ramener brusquement la grand-mère à la normale.

— Arrête ça ! dit-elle sèchement.

— La gamine de ton père ? Ta sœur ? dit Indigo qui fixait Tom d'un air totalement ahuri.

— Pas vraiment. Ma demi-sœur seulement.

— Tom ne t'a jamais parlé de Frances ? demanda la grand-mère de Tom. Il n'a jamais mentionné sa sœur ?

— Grand-mère, demanda Tom en revenant à ce qui lui paraissait être l'aspect le plus intéressant de la situation. Papa a-t-il dit combien de temps je pouvais rester ?

— Tom ! cria presque sa grand-mère. Frances est à l'hôpital ! Elle est terriblement malade ! Tu me désespères ! Tu me désespères !

Il y eut un silence bouleversé tandis que Tom et elle se dévisageaient, furieux l'un contre l'autre.

Indigo prit les choses en main. Une bonne douzaine de choses lui échappaient, mais il les mit résolument de côté.

— Je vais aller faire du thé, dit-il à la grand-mère de Tom. Ça va vous réconforter. Je crois que Tom n'a pas encore bien réalisé. À propos de Frances. Il n'a pas l'intention d'être horrible...

— Moi ? Horrible ? répéta Tom indigné.

— ... Simplement, il est complètement décalé. Branche la bouilloire, Tom !

— Branche-la toi-même ! rétorqua Tom avec colère.

— Il est sous le choc, continua Indigo en remplissant la bouilloire. Comme je le serais s'il s'agissait de Rose...

Au même moment, sorti de nulle part, Indigo retrouva le souvenir du chef de bande rouquin qui l'asticotait la veille. Il se souvint des mots qu'il avait à moitié captés.

— Toi et ta sale petite sœur !

— Comme je le serais s'il s'agissait de Rose, répéta Indigo.

Brutalement, il était inquiet pour Rose. Il avait le sentiment qu'elle était dans une sale situation.

— Rose ? demanda Tom.

Indigo releva la tête et vit que Tom le dévisageait bizarrement, comme s'il tentait de voir à travers son cerveau.

— Indigo, dit Tom, Frances n'est pas comme... Ce n'est pas la même... Toi, tu aimes...

Tom s'arrêta juste à temps.

— Je voulais seulement dire que tu devrais essayer de ne pas t'inquiéter, marmonna-t-il à sa grand-mère.

Puis il ouvrit la porte et disparut.

Elle s'assit, la tête dans les mains.

— Je crois qu'il a raison, dit Indigo en se ressaisissant pour préparer le thé. Vous devriez essayer de ne pas vous inquiéter. Les bébés, c'est costaud. Rose est restée des semaines et des semaines à l'hôpital quand elle était bébé. Je l'ai raconté à Tom.

— Tu l'as entendu, répondu la grand-mère avec amertume. Il s'en fiche.

— Il ne s'en fiche pas.

— Je suis allée les voir il y a un an, juste après la naissance de Frances. Il refusait de la regarder.

— Il est toujours gentil avec Rose, dit Indigo avec loyauté.

— Il n'a pas supporté que son père se remarie.

— J'imagine que ce devait être dur de s'y habituer.

— Il n'a pas essayé. Il est devenu pire, au lieu de s'améliorer. C'est pour ça que je l'ai pris ici. Pour leur donner à tous le temps de souffler. Je pensais qu'il deviendrait raisonnable et qu'il serait content de rentrer, mais il m'a suppliée de rester... Bon, il a obtenu ce qu'il voulait maintenant ! J'aimerais bien savoir où il a filé.

— Je vais aller le chercher, si vous voulez.

— Le problème avec Tom, c'est qu'il est resté enfant unique beaucoup trop longtemps. On dirait qu'il a besoin d'être le centre du monde. Il adore avoir un public.

— Mais nous l'aimons tel qu'il est, dit Indigo avec une certaine agressivité. Je pense qu'il en sera de même pour Frances, quand elle ira mieux. Il la fera rire, comme il fait rire Rose. Il lui racontera des histoires idiotes et il jouera de la guitare...

À nouveau, remonta cet étrange sentiment que Rose avait des ennuis mais, au même moment, le téléphone sonna et la grand-mère de Tom bondit, renversant son thé.

— Tu veux bien aller chercher Tom ? cria-t-elle à Indigo tout en se précipitant pour répondre. Tu sais où il va... S'il te plaît, Indigo ?

Indigo hésita.

— S'il te plaît, insista-t-elle d'une petite voix tremblante. Il devrait être ici. J'ai besoin qu'il soit là.

— J'y vais tout de suite, répondit Indigo.

15

Après la conversation qu'elle avait eue au téléphone avec son père, Rose remonta dans la chambre d'Indigo. Pendant un long moment, elle se retrouva la cervelle vide tant elle était abattue, et elle s'assit, totalement engourdie, pour contempler la guitare cassée.

Puis, brusquement, comme on appuie sur un interrupteur, elle pensa au magasin de musique.

Le magasin de musique pourrait l'aider.

Rose bondit sur ses pieds et entreprit de rassembler fiévreusement le tas hétéroclite de chevilles, d'engrenages et de vis. Elle entassa le tout dans son sweat d'uniforme, attrapa la guitare, dévala l'escalier, sortit de la maison, et courut vers le centre-ville.

Tous les établissements scolaires de la ville étaient fermés pour les vacances. Les rues grouillaient d'élèves, bêtement surexcités à la pensée de l'été. Les citadins observaient ces foules d'un air mécontent et marmonnaient cette vieille récrimination familière selon laquelle les vacances étaient bien trop longues. Rose fonça au milieu de tous ces groupes comme s'ils n'existaient pas.

Le pont avait été envahi par la bande de la classe d'Indigo. Ils étaient tous là, le chef rouquin, les agitateurs et les suivistes, en train de manger des frites et des pizzas, de balancer des canettes de Coca dans la rivière, d'échanger à voix haute des commentaires insolents sur les passants et de se cogner les uns les autres sans grande méchanceté. Les gens les évitaient, mais pas Rose. De l'autre côté du pont, sur le trottoir d'en face, il y avait le tournant qui menait au magasin de musique. Cramponnée à son baluchon et serrant la guitare contre son cœur, Rose plongea droit au cœur de la bande.

Elle eut le sentiment qu'ils étaient très nombreux, des grand gaillards qui sentaient les vêtements poussiéreux, la pizza, le chewing-gum et la sueur. Ils avaient des voix fortes et inconnues. Ils barraient la route de Rose et elle leur lança des coups de pied. En heurtant l'un d'eux, elle fit tomber la canette qu'il tenait et le garçon jura. Rose, les yeux fixés sur le trottoir d'en face, se dégagea d'un mouvement preste et s'enfuit en courant.

D'un seul coup, on l'attrapa par-derrière.

Deux garçons lui avaient saisi les bras et la tiraient

en arrière. Elle se sentit tomber et lâcha la guitare. Il y eut un affreux bruit de bois cassé.

Puis Rose fut remise sur pied, la guitare fut récupérée par un troisième larron, et le chauffeur d'une camionnette qui s'était arrêté sur le pont juste à temps, redémarra son moteur, leur cria quelque chose et reprit sa route.

Le garçon qui avait ramassé la guitare de Tom regarda la poussière, les éclats de bois, les cordes emmêlées et collées et le contenu du baluchon de Rose, qui s'était répandu, chevilles, engrenages et vis éparpillés sur le trottoir et dans le caniveau.

— Foutue ! dit-il.

Alors Rose se déchaîna. Elle s'arracha à l'emprise de ses persécuteurs et se mit à ruer en distribuant force coups de pied, complètement déchaînée.

— C'est la petite sœur d'Indigo Casson ! dit le chef de bande rouquin. Je l'avais prévenu. Chopez-la !

Mais personne ne chopa Rose. C'est elle qui les chopa, au contraire, en commençant par les deux qui l'avaient tirée de sous les roues de la camionnette. Tandis qu'ils essayaient encore de protester, elle attaqua celui qui avait empêché la guitare d'être complètement aplatie puis, dans sa détresse, cogna sans faire de détail.

Indigo, qui cavalait dans toute la ville à la recherche de Tom, tourna le coin de la rue pour tomber là-dessus. C'était exactement ce qu'il craignait. Rose au milieu de la bande, le visage ruisselant de larmes, la guitare pulvérisée et les suivistes furieux. Il entendit le chef rouquin crier :

— Jette-la dans la rivière !

Alors Indigo se lança dans la bagarre. En quelques minutes, il rattrapa tous les coups qu'il n'avait pas donnés dans l'année et Rose lui prêta main-forte.

Les suivistes, saignants et pleins de bleus, se conduisirent comme des héros. Ils tinrent la guitare à l'écart de la bagarre quand celle-ci faisait rage. Ils écartèrent Rose du bord du trottoir, à de multiples reprises. Lorsque Indigo fit tomber par terre le chef rouquin et l'écrasa de son genou, sourd à ses larmes et à ses supplications, donnant l'impression qu'il ne cesserait jamais de taper dessus, ils le tirèrent et lui tinrent les bras derrière le dos jusqu'à ce qu'il se calme suffisamment pour entendre ce qu'ils avaient à lui dire.

— Dis donc, Indigo ! Mets la pédale douce !

— Laisse Tony se relever maintenant, Indigo !

— Il faut pas laisser ta sœur se balader toute seule ! Elle fonçait directement sous les roues d'une camionnette !

— Regarde ! Elle m'a mordu !

— On l'a ceinturée, mais personne n'avait l'intention de lui faire du mal. On était obligés.

— Lâchez-moi ! cria Indigo, les yeux fixés sur le rouquin, maintenant affalé contre le mur du pont.

Ils resserrèrent leur prise.

— Tony a eu sa dose, d'accord Indigo ?

Et puis, enfin, Indigo commença à comprendre ce qui s'était passé et il regarda à nouveau le rouquin affalé contre le mur.

— Il va bien ? demanda-t-il.

Deux garçons remirent Tony sur ses pieds, l'épousseterent légèrement.

— Parfait ! Regarde ! Indigo demande si tu vas bien, Tony ? T'as la forme, non ?

Tony vacillait sur ses jambes. Il était blême avec des taches cramoisies. Des yeux, il fit le tour de la foule des suivistes puis regarda Indigo. Il n'avait pas l'air de comprendre qu'il était descendu de son trône.

— Je vous ai dit de la choper, dit-il en jetant un coup d'œil à Rose.

La foule des suivistes, ses fidèles troupes qu'il avait guidées et encouragées, cajolées et poussées depuis tant de temps, le regardèrent presque comme un inconnu.

— Il a pété les plombs ! remarqua tranquillement quelqu'un, ce qui provoqua une vague de rires.

La plupart ne se donnèrent même pas le mal de parler.

Il y avait dans l'air une certaine légèreté, comme si un orage, après avoir grondé, avait éclaté, laissant le ciel clair derrière lui. La foule des suivistes examinait ses blessures avec un certain plaisir. Ils avaient l'impression d'avoir essuyé un grain qui s'était éloigné. Cette fois, ce n'était plus eux les brutes. Cette fois, on les avait attaqués injustement et ils avaient réagi comme des anges.

Le passé était oublié. Justice avait été faite.

Un petit groupe, avec Marcus dans le rôle de l'expert auto-proclamé, examina les restes de la guitare. D'autres ramassèrent le contenu du baluchon de

Rose. Josh lui montra les traces que ses dents lui avaient laissées sur le poignet.

— Le groupe commença à se disperser.

Un des suivistes fut attrapé par sa mère et contraint de ramasser tous les emballages de frites qu'ils avaient éparpillés dans la rue. Trois autres, qui n'avaient en rien participé à l'action, penchés par-dessus le parapet, essayaient de cracher dans l'eau.

Le garçon roux fit une dernière tentative. Il les regarda tous.

— Qui vient avec moi ? demanda-t-il. Je m'en vais.

Il attendit, sans bouger. Personne n'y fit le moins du monde attention.

Il recula d'un pas, puis d'encore un autre.

— Je m'en vais, j'ai dit.

— À bientôt, Tony, répondit gentiment David.

L'heure tournait et Indigo, qui avait repris ses esprits et s'inquiétait de savoir s'il avait blessé quelqu'un, était déchiré entre sa promesse de trouver Tom et la nécessité de raccompagner Rose à la maison. L'état de la guitare représentait un autre problème, énorme. De l'avis général, si Rose ou Indigo, avec l'allure qu'ils avaient (sales, le visage barbouillé de larmes, ensanglantés et sans un sou), l'apportaient au magasin de musique dans cet état-là, on les jetterait dehors dès qu'ils franchiraient le seuil de la porte.

— Ils appelleront sans doute la police, dit Marcus. En tout cas ta mère à tous les coups ! Mieux vaut rentrer à la maison, se nettoyer et se procurer un peu d'argent.

— De toute façon, Rose doit rentrer, dit Indigo d'un air soucieux. Et j'ai promis à la grand-mère de Tom de retrouver son petit-fils. Elle a besoin de lui ; elle est vraiment bouleversée. Et maintenant il va falloir que j'annonce à Tom que sa guitare est en miettes.

Rose eut un hoquet.

— Ils arrangeront sûrement les choses au magasin, déclara Marcus en hâte.

— Pars chercher Tom, Indy, dit David. Nous, on raccompagne Rose. Viens, Rose. On te ramène à ta mère !

Indigo lui jeta un regard hésitant, impatient de partir à la recherche de Tom.

— Ça t'ira, Rose ? demanda-t-il. Tu vas avec David, Marcus et Josh ?

Rose acquiesça d'un signe de tête.

— Je vais porter la guitare, dit Josh. David a pris toutes les pièces détachées.

— Vous la raccompagnez jusqu'à la maison, d'accord ? insista Indigo. Jusqu'à la maison et à l'intérieur ? Regardez dans la cabane, dès fois qu'il y aurait quelqu'un dedans. Ma mère devrait y être en train de peindre.

— D'accord.

— Ne la laissez pas toute seule.

— Bien sûr que non.

Lorsque Rose avait déclaré à son père : « J'ai fait quelque chose d'épouvantable ! Papa, reviens à la maison ! », il avait eu peur. Il s'était même affolé. Il avait attrapé son sac. Il avait verrouillé son appartement. Il avait couru à la gare et attrapé le premier train.

Marcus, Josh et David, escortant Rose comme une garde d'honneur, arrivèrent chez les Casson et n'y trouvèrent personne. Ève était partie à la recherche de Rose quelques minutes plus tôt. Cependant, elle avait laissé la porte de derrière ouverte, au cas où quelqu'un arriverait avant elle. David alla poser la guitare à l'intérieur, debout dans un coin de la cuisine. Marcus et Josh, suivant les instructions d'Indigo, accompagnèrent Rose à la cabane. Elle était vide, elle aussi.

— Indigo a dit de ne pas la laisser toute seule, dit Marcus.

Ils étaient là à hésiter devant la porte, en se demandant ce qu'ils allaient bien pouvoir faire quand un taxi s'arrêta devant la maison et le père de Rose en descendit.

— Papa ! cria Rose en se jetant dans ses bras.

Marcus, Josh et David le regardèrent, veste en daim immaculée, chemise noire, coupe de cheveux mode et expression de colère dévastatrice devant l'état de Rose. Ils choisirent alors de disparaître comme la fumée se disperse dans le vent.

Rose et son père n'y prirent pas garde. Ils s'embrassèrent et se serrèrent l'un contre l'autre en criant ce que chacun pensait de la conduite de l'autre, et quand le pire fut passé, Rose recommença à pleurer qu'elle avait fait quelque chose d'épouvantable.

— Rose, dit son père. Tu as huit ans ! Rien de ce que tu peux faire n'est si terrible !

Rose se mit à pleurer encore plus fort.

— Rose ! cria son père (il était obligé de crier parce que les pleurs de Rose atteignaient maintenant le stade hi-han hi-han, tout du braiement de l'âne.) Viens dans la maison et raconte-moi ce que tu crois avoir fait. Quoi que ce soit, je te promets de réparer les choses !

Ils entrèrent dans la cuisine.

— Quoi que ce soit, affirma Bill à Rose avec beaucoup de tendresse.

Il pensait ce qu'il disait. Cela le bouleversait de voir Rose, la courageuse, l'exaspérante, la Rose pleine d'aplomb dans une telle détresse.

— Quoi que ce soit, peu importe ce que tu as fait, j'arrangerai ça, promit Bill.

Rose le crut et cessa de pleurer.

Son père se redressa et alors, pour la première fois, il vit la fresque de Rose sur le mur de la cuisine. Rose avait oublié jusque-là à quel point elle avait désiré lui montrer son œuvre, mais à présent, elle l'observait, le cœur battant la chamade et les yeux complètement secs.

Bill Casson, qui savait généralement parfaitement bien se maîtriser, contemplait le mur, bouche bée. La fresque était tellement énorme, tellement écrasante, une telle multitude de couleurs et d'images complexes.

Il était infiniment perturbé à l'idée qu'une telle chose ait pu être créée en son absence.

Rose attendait qu'il dise quelque chose.

Son père estima avoir découvert la source de ses larmes, la chose épouvantable qu'elle avait commise, et il montra une retenue étonnante. Il ne se mit pas en colère. Il ravala les mots « J'avais dit à ta mère de ne pas t'emmener dans ce stupide cours de graffitis. » Au lieu de cela, il dit très doucement, en entourant Rose de ses bras :

— Ne t'inquiète pas, chérie, ça s'effacera.

— S'effacer ? dit Rose.

— Bon, peut-être pas complètement. Mais de toute façon, on pourra peindre par-dessus.

— Peindre par-dessus ?

Rose le regarda, d'abord incrédule puis en comprenant de plus en plus. Il était enfin là, il l'aimait, il s'inquiétait pour elle, il avait quitté Londres en courant pour la consoler. Il avait promis de tout arranger. Elle l'aimait et elle le haïssait, en même temps.

Sans la lâcher, il gratta un petit coin de peinture de l'ongle, un des requins convoqués par Rose pour dévorer son cadavre indifférent. Il gratta toute la peau du requin jusqu'au plâtre en dessous.

— Là ! Regarde, chérie ! s'exclama-t-il d'un ton triomphant. Je t'avais dit que ça s'effaçerait ! Maman était très fâchée ?

Rose en restait coite.

Son père résistait toujours à la colère. Il n'était pas en colère. Son intention était identique à ce qu'elle avait toujours été, sauver la situation, voler au secours de Rose, arranger les choses – même terribles – qu'elle avait faites, quel qu'en fût le prix à payer. Il s'assit donc et installa Rose sur ses genoux :

— Toi et moi, déclara-t-il, on pourrait nettoyer tout ça en deux coups de cuillère à pot.

D'après sa voix, il était impossible de dire qu'il ne croyait pas vraiment à ce qu'il racontait et qu'il pensait en réalité qu'il faudrait plusieurs jours durant, frotter à s'en casser le dos, à s'en arracher la main.

— Ce n'est pas cela, l'horrible chose que j'ai faite, dit Rose.

— Il va falloir que j'aille en ville acheter un jean et un ou deux T-shirts pour travailler à...

— J'ai fait quelque chose de bien pire !

— ... J'ai un ou deux rendez-vous, plusieurs à vrai dire, il faut que je les annule à Londres...

Rose glissa de ses genoux, traversa la cuisine, prit la guitare de Tom et la colla sous le nez de son père.

— C'est ça, l'horrible chose !

— Quoi !

— C'est la guitare de Tom. J'ai essayé de la réparer et j'ai fait une vraie catastrophe. Et après je suis tombée et ça s'est cassé. Et certaines des pièces que j'avais dévissées ont été perdues et une des chevilles est toute tordue. Une camionnette a roulé dessus.

— C'est ça, le truc épouvantable ? demanda Bill, éberlué.

— Oui.

— C'était ça qui te rendait si malheureuse ?

— Oui.

— Mais voyons, dit Bill, totalement sidéré, on peut la remplacer, ma Rose chérie !

— Quoi ?

— Toutes les guitares se valent, non ? Plus ou moins ?

Il était tellement soulagé de trouver Rose intacte et en bonne santé et de n'avoir rien de plus grave à régler qu'une guitare cassée qu'il leva les bras en l'air et se mit à rire. Puis il se rassit, poussa un soupir de soulagement et brusquement se souvint de quelque chose qu'il avait pris juste au moment de quitter son atelier londonien. Un dessin, à montrer à Rose.

Il se pencha pour attraper son sac. Rose sentit son cœur se serrer.

À l'intérieur, il y avait un portrait, pas tout à fait fini, à l'encre et à l'aquarelle au lavis. Il était peint à partir de la photo que Caddy avait vue dans l'atelier de leur père. Rose avec ses lunettes. Agressive. Perplexe. Rose, perdue au milieu des Rose reflétées, au moins une douzaine, de plus en plus décolorées comme dans un rêve.

— Qu'est-ce que tu en penses ? demanda Bill.

De mauvaise grâce, Rose regarda et elle fut sidérée.

— C'est moi ! s'exclama-t-elle.

— Oui.

— C'est bien.

Elle ravala un sanglot mais répéta, parce que c'était vrai : « C'est vraiment bien. » Puis elle regarda la guitare cassée et se remit encore à pleurer.

— On peut pas simplement en racheter une neuve

à Tom ? demanda son père qui, dans ce moment de triomphe, aurait acheté n'importe quoi à n'importe qui.

— Ça coûte très cher, dit Rose.

— Si on veut de la qualité, il faut être prêt à payer, répliqua tranquillement Bill. Il n'y a pas un magasin de musique en ville ?

— Si, dit Rose qui avait du mal à en croire ses oreilles, et dedans, il y a une guitare que Tom désire depuis des semaines et des semaines et des semaines. On peut y aller tout de suite ?

Grandiose, Bill dit que bien sûr ils pouvaient y aller immédiatement et il s'autorisa à se laisser traîner en ville sans plus tarder. Et s'il regretta un peu sa grandeur quand il vit le prix de la guitare noire, il n'en fit nullement part à Rose. Après tout, elle avait aimé son portrait. Et il avait l'habitude de dépenser de l'argent, il était infiniment plus doué qu'Ève pour cela. En outre, le vendeur se révéla très serviable, reconnaissant Rose d'emblée et félicitant son père d'être un acheteur aussi généreux et plein de discernement.

— Évidemment, c'est pour ton ami ? demanda-t-il à Rose.

— Tom, dit Rose.

— Tom. Évidemment. Salue-le de ma part, d'accord ?

— Je n'y manquerai pas, dit Rose.

Puis son père et elle revinrent à la maison ensemble, Bill marchant à grands pas comme si la ville lui appartenait, Rose sautillant à ses côtés, provisoirement plus heureuse qu'elle ne l'avait jamais été de sa vie.

— J'ai adoré tes lettres, dit Bill.

— Ah bon ?

— Elles m'ont fait tellement rire.

— Elles n'étaient pas censées te faire rire.

— Ah ? Qu'est-ce qu'elles étaient censées faire ?

— Te faire revenir à la maison, dit Rose.

Ça faisait des heures qu'Indigo était parti à la recherche de Tom. Il n'avait cessé de faire l'aller-retour entre chez lui et chez Tom, il avait arpenté toute la ville, le magasin de musique, la bibliothèque, le clocher, et même le parking à étages.

Il était monté partout. Tom n'était nulle part.

Le soir tombait quand il comprit où Tom devait être.

Même s'il l'avait plus ou moins attendu tout l'après-midi, Tom fut considérablement surpris lorsque, regardant vers l'ouest où le soleil se couchait, il vit apparaître une main – laquelle saisissait le dernier barreau de l'échelle d'incendie.

Puis le sommet d'un crâne. De longs cheveux bruns décoiffés par le vent. « Beaucoup trop longs, dit tout le temps Safran. Laisse-nous les couper, Sarah et moi ! – Non ! » Puis l'autre main surgit et cette fois Tom était prêt, il l'attrapa. Il hissa Indigo par-dessus le parapet et le serra contre lui.

— Allez vas-y, dis-le, dit Indigo.

— T'as un problème, Indigo ? demanda Tom en souriant.

— Pas particulièrement.

Le toit de l'école était couvert de gravillons, noircis et moussus par l'âge. Indigo s'étala à plat dos. L'escalade avait duré moins de dix minutes, mais ça comptait comme des heures.

— Eh Tom, dit-il, le ciel devient vert.

— Je m'en inquiétais justement, dit Tom, également couché à plat dos.

Il n'y avait pas un nuage, pas un avion, pas un oiseau. Rien que la limpidité bleu-vert d'une soirée d'été.

— J'ai apporté un sac de cerises, dit Indigo en le prenant dans sa poche.

— Tu penses à tout. Tu sais ce que j'ai trouvé ici ? Un petit arbre. Il pousse là-bas près du mur. Il y a eu aussi un pigeon.

— Crache les noyaux de cerise le plus loin possible, conseilla Indigo. On aura un verger ici en un rien de temps.

— On n'aura plus besoin de redescendre une fois que les cerises seront mûres.

— Oui.

— Le ciel devient de plus en plus vert. Si on ne fait pas gaffe, bientôt il y aura des étoiles.

— Sans doute, acquiesça philosophiquement Indigo.

— Indigo ?
— Mmmm ?
— Tu voudrais pas redescendre chercher ma guitare ?
— Tu peux pas juste fredonner ?
— Pas vraiment.
— J'ai un tas de choses horribles à te raconter.
— Il faut que je rentre chez moi.
— Je sais.

— Tu rentrerais si Frances était Rose et si tu étais moi, non ?
— Si.
— Et si elle meurt alors que j'ai été infect avec elle pendant toute sa vie ?
— Ta grand-mère a rappelé l'hôpital cet après-midi. Ils ont dit qu'elle était stabilisée.
— Ça veut dire quoi ?
— C'est bien. Son état n'empire pas.
— J'ai toutes mes chances alors.
— Bien sûr que oui.

— Qu'est-ce que vous lui disiez, à Rose ?
— « Guéristoiguéristoiguéristoiguéristoi. »
— Je ferai ça alors. Samedi.
— Ton père ne va pas pouvoir venir, réfléchit Indigo. On va te laisser rentrer seul en avion ?
— Je l'ai déjà fait, pour venir ici.
— Ah oui, dit Indigo avec tristesse.

— Ce n'est pas si loin, dit Tom pour les réconforter tous les deux. Juste une étendue à traverser.

— Une étendue de quoi ?

— De ciel.

— Une grande étendue, dit Tom.

— Je sais. Mais ce n'est pas comme s'il y avait quelque chose entre les deux. Pas comme s'il fallait escalader des murailles. Ou se frayer un chemin dans la jungle. Ou y aller à la nage.

— Tu pourrais nager.

— Indigo, dit Tom, sois raisonnable. On ne peut pas. N'essaie surtout pas.

— D'accord.

— Voilà une étoile. Je te l'avais dit que ça arriverait. Tu sais tous ces trucs que je vous ai racontés. Mon père qui est astronaute ? Et joueur de baseball ? Et ma mère avec ses ours ? Tous ces trucs ?

— Ouais.

— Tout est vrai !

Ils se mirent tous deux à rire.

— Écoute, dit Indigo, je vais te dire une chose épouvantable. Rose a essayé de réparer ta guitare.

— Ah bon ? s'exclama Tom en se redressant brusquement.

— Elle a enlevé toutes les cordes et elle a dévissé les chevilles de réglage.

Tom se prit la tête à deux mains et gémit à la face du ciel.

— Elle a recollé la fente dans le dos avec de la

superglu et après, elle l'a apportée en ville. En route, elle est tombée et elle l'a sacrément abîmée.

— Elle a fait quoi ? hurla Tom.

— Ensuite, elle s'est affolée et elle est allée chercher papa à Londres pour qu'il l'aide.

— Je croyais qu'il ne rentrait jamais chez vous.

— Si, en cas d'urgence. Il t'a acheté la guitare noire.

— Quoi ?

— Il t'a acheté la guitare noire.

— Ton père m'a acheté la guitare noire ??????

— Oui. Lâche-moi, tu me serres la gorge.

Tom se laissa retomber sur le toit et, terrassé, contempla le ciel.

— J'ai cogné Tony Albinoni cet après-midi, déclara Indigo.

— Tu as cogné Tony Albinoni ?

— Oui.

— Pourquoi ?

— Comment ça, pourquoi ?

— Qu'est-ce qu'il t'avait fait, au juste ? demanda Tom qui soudain se mit à rire tant et tant qu'il en eut mal au ventre.

16

La maison Casson était pleine de monde. Caddy et Michael. Safran et Sarah. Ainsi que Derek qui, ignorant qu'on nageait en pleine crise, était passé à tout hasard parce que Ève lui avait dit au téléphone que l'évier de la cuisine était une fois de plus bouché.

— Je suis venu dès que j'ai pu, claironna Derek en poussant la porte (sans frapper).

Il retira son casque de moto et se glissa dans la cuisine.

Comme toujours, Derek était habillé, de la tête aux pieds, de cuir noir bien boueux. Il embrassa Ève, trébucha sur le fauteuil roulant de Sarah et aperçut Bill.

— Salut ! dit-il. De la visite ? Présente-moi, Rose !

— Voilà papa, dit Rose aimablement. Papa, voilà

Derek, l'ancien petit ami de Caddy. Maintenant, il est pour maman.

Rose recula d'un pas pour observer le résultat de cette déclaration. Son père, pensait-elle, allait immédiatement ôter sa veste et provoquer Derek en duel sur la pelouse. Le vainqueur (sans doute Derek, vêtu comme il l'était de son armure de cuir noir, peut-être Bill, qui avait le double avantage de ne pas être engoncé et d'avoir la peau très épaisse) emporterait Ève. Ainsi, toute ambiguïté quant à savoir qui appartenait à qui serait enfin levée de façon loyale et définitive.

La suite des événements déçut beaucoup Rose.

— Ah oui, dit Bill en serrant la main de Derek avec un calme olympien. Je suis très content de faire enfin votre connaissance. Ève m'a parlé de vous. Il faut que vous veniez tous les deux à Londres rencontrer ma... euh... ma... euh... ma... euh... Samantha !

Ève poussa un soupir de soulagement. Caddy et Michael échangèrent un regard hautement significatif. Sarah et Safran, qui avait arraché ce secret à Caddy des semaines auparavant, se mirent à ricaner.

Derek et Bill ne leur prêtèrent aucune attention et se lancèrent dans une discussion sur les tuyaux et les branchements tellement ennuyeuse que le soulagement d'Ève disparut pour laisser place à une expression légèrement hagarde. Comme quelqu'un qui, ayant échappé à la poêle à frire, commence à soupçonner qu'en dépit de tous ses efforts, elle a atterri dans le feu.

— Je voudrais bien que Tom et Indigo arrivent, dit

Rose pour la dixième fois de l'après-midi. Je sais où ils sont. Je voudrais bien qu'ils redescendent.

Petit à petit, tandis que la lumière baissait et que la nuit tombait, on se rendit compte que cela faisait bien longtemps que les garçons avaient disparu. Derek et Bill, qui admiraient les nouvelles installations électriques de la cabane, regardaient leurs montres de plus en plus souvent. La grand-mère de Tom ne cessait de téléphoner.

— Ils se promènent simplement tous les deux, dit Ève en s'efforçant de ne pas regarder par la fenêtre toutes les minutes, pour voir s'ils n'arrivaient pas.

Caddy et Michael quadrillèrent les rues à leur recherche mais revinrent bredouilles.

— Écoutez Rose, dirent Sarah et Safran.

Rose, comme elle le répétait depuis des heures, expliqua que Tom et Indigo se trouvaient sans aucun doute au sommet de la tour du collège.

— Mais Rose chérie, intervint Ève, pourquoi seraient-ils là-haut ?

— Pour réfléchir, répondit Rose.

Il fallut un bon moment pour que les autres, à l'exception de Safran et Sarah, prennent cette théorie au sérieux. Michael fut le premier à croire que c'était possible.

— On sait parfaitement qu'ils sont dingues à ce point !

— C'est vrai, reconnut Derek.

Il proposa que Michael et lui, des as de l'escalade,

aillent jeter un coup d'œil rapide au sommet du collège, histoire de vérifier.

Ce que l'on fit, après une petite discussion avec Bill. Derek et Michael se rendirent en voiture jusqu'à l'établissement vide, en firent le tour pour évaluer la difficulté, conclurent « Sans problème ! » et entreprirent de grimper, suivant le trajet que Tom avait précisément décrit, en commençant par l'échelle d'incendie.

Et forcément, Rose avait eu raison. Ils découvrirent Tom et Indigo parfaitement paisibles, étendus sur le dos, occupés à rebaptiser les étoiles. Les deux garçons firent mine de ne pas remarquer ce qui se passait jusqu'à ce que Derek débarque sur le toit.

— En route, les deux rêveurs ! s'exclama-t-il gentiment. Retour sur la planète Terre.

Tom poussa un soupir et Indigo demanda :

— Comment vous avez su qu'on était là ?

— La petite Rose, répondit Michael en s'affalant à côté d'eux. Alors, la planète Terre ne t'emballe pas, Tom ?

— Pas tellement.

— Allez viens, Indy, faut y aller, le pressa Derek. Avant que ton papa n'appelle la troupe à la rescousse. Il voulait téléphoner à la police et aux pompiers. On a laissé Caddy, Safran et Sarah à la maison assises sur sa tête.

— Elles sont vraiment assises sur sa tête ? demanda Tom l'air un peu moins morose.

— Elles sont métaphoriquement assises sur sa tête, répondit Derek.

— Et Rose, qu'est-ce qu'elle fait ?

— Pour être franc, dit Derek, je crois qu'elle n'est pas très heureuse. On va voir.

Indigo et Tom redescendirent sans protester davantage.

Dès le moment où ils avaient vu les phares de la voiture dans la cour déserte du collège, ils avaient compris que leur moment de paix était terminé.

— T'as le cafard ? demanda Tom à Indigo.

— Plus ou moins.

Derek organisa la descente, Michael en premier, puis Tom, lui-même et enfin, fermant la marche, Indigo. Il était un peu inquiet pour Indigo mais ce n'était pas la peine. Indigo, qui avait escaladé les plus hautes constructions de la ville tout l'après-midi, se débrouilla très facilement.

Dès le moment où ils touchèrent terre dans le parking du collège, le temps passa si vite que Tom et Indigo crurent sentir le monde tourbillonner sous leurs pieds.

Négociations et explications menèrent à des arrangements. Tom franchit à minuit d'un pas chancelant le seuil de sa grand-mère.

— J'ai bien réfléchi, déclara-t-il. Je crois qu'il faut que je rentre vite à la maison.

— Moi aussi, je le crois, dit sa grand-mère. Le plus tôt sera le mieux. Le milieu de la nuit ici, c'est seulement le début de soirée en Amérique. Je vais appeler ton père tout de suite.

— Je vais le faire, dit Tom.

Et il le fit aussitôt. Le silence s'installa si longtemps sur la ligne qu'il eut peur.

— Tu ne veux pas que je rentre ? demanda-t-il.

— Il y a quelques heures, répondit son père d'une voix bizarre, lointaine et grinçante, je croyais vous avoir perdus tous les deux.

Il s'interrompit puis se mit à crier :

— Bien sûr qu'on veut que tu reviennes !

Après quoi, sa voix redevint normale. Tom et lui s'aperçurent soudain qu'ils pouvaient se parler comme ils ne le faisaient plus depuis des années et des années. Leur compréhension mutuelle revenait comme si elle n'avait jamais disparu. Tom parla à son père de Rose et Indigo, de la magnifique fresque de Rose et de la bagarre d'Indigo sur le pont. Il raconta comment Indigo avait quadrillé la ville et escaladé le collège pour le retrouver. Avec un grand luxe de détails, il décrivit la guitare noire qu'il n'avait pas quittée des yeux depuis que Rose la lui avait collée dans les bras. Tom avait encore du mal à croire qu'elle fût à lui.

— Tu crois que ça ira bien pour elle dans l'avion ? demanda-t-il.

— Couvre-la d'étiquettes. Ne te contente pas d'une seule. Mets-en plusieurs. Et écris ton numéro de téléphone dessus.

— Comment va Frances ?

— Elle s'accroche.

Tom n'avait pas reposé le combiné depuis dix

minutes que le téléphone sonna à nouveau ; c'était encore son père.

— Mets aussi deux étiquettes à l'intérieur de l'étui.

— D'accord.

— Et Tom, je l'ai assurée. Ta nouvelle guitare. Au cas où. Dis-le à Rose.

— Je vais le faire.

— Je vais essayer de t'avoir un avion plus tôt. Pour demain, si j'y arrive.

— Frances est-elle vraiment si malade ? demanda Tom.

— Non, non, non, pas du tout ! répliqua aussitôt son père. Elle va bien !

C'était tellement peu la vérité que Tom ne trouva rien à répondre. Lorsque sa grand-mère ordonna « Au lit ! » en lui prenant le téléphone des mains, il ne tenta pas de discuter. Il prit sa guitare et monta très lentement l'escalier, trop fatigué pour réfléchir.

Bill Casson rentra à Londres le lendemain, mais avant de partir, il eut une conversation avec Rose.

— Que s'est-il passé, Rose, quand tu as dit : « Papa, reviens à la maison » ?

— Tu es revenu.

— Ça se passera toujours comme ça.

— Et si je dis « reviens » et que l'horrible Samantha dit « reste » ?

— Elle ne fera jamais cela. Et elle n'est pas horrible. Tu la rencontreras quand tu viendras me voir.

— Elle sait faire à manger ?

— Quoi ?

— Elle sait faire à manger ?

— Tu sais, Rose, savoir faire la cuisine, c'est pas tout dans la vie !

— Je me disais seulement que si c'était une grosse dame costaud qui passe sa vie à cuisiner, comme la mère de Sarah, elle pourrait être utile.

Le père de Rose, légèrement abattu, dut bien admettre que Samantha ne correspondait en rien à cette description. Rose l'embrassa et promit de lui rendre visite quand même. Toute sa colère contre son père avait disparu. Il ne saurait jamais la comprendre. Il parlait toujours de la possibilité d'effacer sa fresque du mur de la cuisine. Il les avait tous quittés pour s'installer dans une autre vie, sans même jeter un regard en arrière. N'empêche, il était revenu quand elle le lui avait demandé et il avait acheté la guitare noire à Tom. Il était gentil et il était méchant.

— Comme tout le monde, déclara Derek qui s'était éclipsé la veille au soir mais qui avait réapparu dès que Bill avait quitté la maison. Je vois qu'il n'a pas débouché l'évier avant de partir.

— Il n'est pas du genre à déboucher les éviers, remarqua Safran.

— Heureusement qu'il y en a des comme ça. Comment va la sœur de Tom ce matin ? Vous avez du nouveau ?

— Ils essaient un nouvel antibiotique. C'est encore trop tôt pour avoir des résultats.

— On croise les doigts alors.

— Ils lui ont trouvé un vol plus tôt. Pour ce soir. Au cas où... Mais le père de Tom dit que c'est une dure à cuire.

— Tant mieux.

— Qu'est-ce qu'on va faire quand il sera parti ? demanda Rose.

— On téléphonera, répondit Derek en dévissant avec amour le coude du tuyau de vidange de l'évier. Téléphoner, écrire, e-mailer (ne me dites pas que vous n'avez pas d'ordinateur, parce que je parie que Sarah en a un !), photographier, dessiner, apprendre à jouer de la guitare, économiser pour s'acheter des billets d'avion... Regardez-moi cette vidange ! Pleine de peinture à l'huile durcie ! Votre délicieuse maman n'a-t-elle donc aucun bon sens ?

— Aucun.

— Carrément des morceaux de trucs ! continua Derek en se débarrassant d'un infâme magma couleur arc-en-ciel dans la poubelle. Il faut que je parte dans une minute, mais avant, je voulais te dire quelque chose, Indigo. J'ai un ami qui a une dette envers moi et il a un ami qui a une dette envers lui et qui a dit qu'il pouvait restaurer cette vieille guitare espagnole. Je leur en ai parlé à tous les deux hier soir. Il dit qu'il peut y remettre un nouveau dos et des nouvelles cordes, pas de problème. Qu'est-ce que t'en dis ?

— Ce serait génial ! dit Indigo, plein de reconnaissance. Merci, Derek. Je le dirai à Tom dès qu'il arrivera. Il vient dire au revoir.

Tom fut très heureux de la proposition de Derek.

— L'idée de la jeter me semblait épouvantable.

— Quand elle sera réparée, Indy pourra la prendre ? demanda Rose.

— Je la lui prête, corrigea Tom.

Et il passa une heure à noter différents accords et des exercices de doigts à l'intention d'Indigo, l'observant avec attention tandis que celui-ci les essayait sur la guitare noire.

— Les doigts de ta main gauche ondulent beaucoup trop, remarqua-t-il d'un ton critique. Il faut que tu les gardes plus près des cordes. Rose, il va falloir surveiller sa main gauche !

— Je le ferai, promit Rose.

— Tom, combien de temps il te reste ? demanda soudain Caddy.

Tom regarda sa montre et s'aperçut qu'il ne lui en restait pas du tout. Il s'était tellement impliqué dans le travail avec Indigo qu'il avait oublié qu'il ne passait que pour leur dire au revoir. Rose vit son expression tandis qu'il se débattait pour trouver des mots qu'il ne voulait pas dire et qu'elle ne voulait pas entendre. Se faufilant derrière Caddy, sans que personne la remarque, elle disparut de la pièce.

Safran et Sarah aidèrent Tom à commencer la tâche ardue des adieux en le serrant avec extravagance contre elles.

— Promets d'appeler à la seconde où tu seras rentré ! Remue encore une fois les sourcils ! Quel dommage que tu n'aies jamais voulu qu'on te coupe les cheveux ! Fais-nous signe par le hublot quand tu passeras au-dessus ! Regarde, il rit ! Il est content de partir !

Tom, souriant malgré lui, fut ensuite jeté sur Ève.

— Au revoir, Tom chéri, dit-elle en l'embrassant doucement. J'espère que tout ira bien pour toujours ! Oh mon Dieu, je suis désolée ! Ne fais pas attention à moi !

Et elle courut pleurer dans sa cabane.

— Au revoir, Caddy.

— Prends soin de toi, Tom. Tu vas tellement nous manquer ! J'amènerai Indy et Rose de l'autre côté de l'océan pour te voir un de ces jours, je te le promets.

— Où est Rose ? demanda Tom en regardant autour de lui.

Rose avait disparu. Caddy partit à sa recherche et revint au bout d'un moment en disant qu'elle était introuvable. Ce n'était pas vrai. Rose était sous le lit de Caddy, tapie le plus près possible du mur. C'étaient ses reniflements qui avaient révélé sa présence. Caddy, penchée pour regarder en dessous, avait croisé le regard intraitable de Rose.

— Je suis occupée, avait grondé Rose.

Caddy avait hoché la tête d'un air compréhensif et était partie sur la pointe des pieds.

— Dis au revoir à Rose pour moi, dit Tom, malheureux. Indigo...

— Je te raccompagne, intervint vivement Indigo.

Maintenant que le moment était venu, maintenant qu'il n'y avait plus du tout de temps, Indigo ne parvenait pas à comprendre que Tom partait pour de bon. Le jour même. L'après-midi même. Maintenant. C'était incroyable.

Tom et lui firent le chemin ensemble, sans beaucoup parler. La grand-mère de Tom avait déjà chargé la voiture, prête à partir pour l'aéroport. Elle salua Indigo et s'installa au volant, histoire de les laisser tranquilles, avec tact.

— N'oublie pas de dire au revoir à Rose pour moi, dit Tom.

— Je n'oublierai pas.

— La vieille guitare, si je te la prête, il faudra bien que tu me la rendes un jour. C'est pour ça que je t'ai dit que je te la prêtais. Pas pour être méchant.

— Je sais.

— Au revoir, Indigo.

— Au revoir, Tom.

Tom monta dans la voiture et baissa la vitre. Sa grand-mère mit le moteur en route. Ils crièrent tous deux quelque chose à Indigo, qui ne put les entendre. Peut-être lui firent-ils des signes d'adieu, mais il ne les vit pas. Il distinguait à peine la forme de la voiture tandis qu'elle s'éloignait.

Ensuite, il se mit à marcher dans les rues comme dans un rêve. Ses pieds l'amenèrent en ville, mais sa tête ne le conduisait nulle part. Il se sentait aussi seul que s'il avait échappé au temps. Il était de nouveau invisible.

Il ne savait pas depuis combien de temps il marchait, mais, quelque part sur le chemin, David lui emboîta le pas. Le temps qu'Indigo le remarque, David, qui était du genre enrobé et essoufflé, était hors d'haleine et rouge dans ses efforts pour se maintenir à sa hauteur. Indigo s'en rendit vaguement compte et ralentit un peu l'allure.

— Salut, Indigo ! dit David gaiement.

— Salut.

— J'ai bien vu que tu ne m'avais pas remarqué. Je voulais juste te demander si tu serais dans les parages cet été ?

— Oui. Oui, je pense que oui.

— On pourrait peut-être aller au bowling un de ces jours.

— Ce serait bien.

— On pourrait aller faire du skate ?

— Oui, bonne idée.

— Tu crois que Tom nous accompagnerait ?

— Oh oui, répondit d'emblée Indigo avant de comprendre. Non. Il est reparti en Amérique.

— Dommage.

— Mmmmm.

— Il va te manquer.

— Ouais.

— À moi aussi. J'aimais bien l'entendre parler. Tous ces trucs à propos de son père, des ours et tout ça. Je savais que ce n'était pas vrai, mais ça me plaisait bien de l'écouter.

Indigo eut un petit sourire.

— Je ne sais pas parler comme ça. Par comparaison, je suis sacrément ennuyeux.

— Qui compare ?

— Alors je t'appelle, pour le bowling ?

— Oui. Merci, David, je viendrai.

David disparut à la vue d'Indigo et celui-ci chemina tout seul, de plus en plus lentement. Plus lentement que David. Plus lentement que Rose, lorsqu'elle traînait pour rentrer de l'école. Il était terriblement, douloureusement fatigué.

— Je suis seulement fatigué, dit-il en s'écroulant dans les bras de Caddy.

À la maison, la machine à consoler Casson tournait à plein régime. Rose était sortie de sous le lit et Sarah l'avait amadouée avec un gros carnet de croquis tout neuf. À présent, Rose dessinait quelque chose qu'elle cachait soigneusement derrière ses mains en cercle.

— Ne regarde pas ! ordonna-t-elle à Indigo.

— Je ne regarde pas, répondit-il humblement.

Ève était en train de préparer à manger.

— Bouillon de poulet, annonça-t-elle fièrement. Plein de bonnes choses. Tu es parti depuis des heures, Indigo chéri ! Fais-lui une tasse de thé, Saffy, et enlève-lui ses chaussures. Moi, je ne peux pas. Dès que j'arrête de mélanger cette soupe, elle crache comme un volcan !

— Il peut enlever ses chaussures lui-même, dit Saffy. Mais je vais lui préparer du thé. Où est le grand atlas ? Sarah en a besoin.

Sarah était penchée sur une minuscule carte du monde figurant à la fin d'un vieil agenda qui traînait là.

— Je sais que ça serait plus rapide en avion, expliqua-t-elle joyeusement à Indigo. Je vais travailler sur cette histoire d'avion ! Mais pour l'instant, j'ai déjà trouvé un itinéraire par voie de terre !

— Pour aller où ?

— En Amérique, évidemment. Par l'Europe et l'Asie. Parfaitement simple. Je me fais un tout petit peu de souci pour le détroit de Bering mais je parie qu'il y a un ferry. Ne tords pas le nez comme ça, Indy ! Il s'agit seulement d'amener mes parents en France, avec la voiture, et là, de les perdre complètement.

— Sarah, chérie ! s'exclama Ève.

— Ils aiment aller en France, expliqua patiemment Sarah. Et une fois qu'ils sont là, c'est de la terre jusqu'au bout. Plus ou moins. La chose à faire, c'est de se diriger toujours vers l'est.

— En évitant les zones en guerre, dit Safran.

— En évitant évidemment les zones en guerre. Tout droit jusqu'au détroit de Bering. Après, on avale d'un bond l'Alaska et le Canada et on descend.

— Y a des montagnes, soupira Rose, le nez dans son carnet.

— Des montagnes ! répéta Sarah d'un ton plein de mépris en tournant les pages du grand atlas que Safran lui avait déniché. Regardez ! On part de là et on veut aller là-bas. Y a presque pas de montagnes !

— Regarde mieux ! dit Safran. Ces parties colorées

en violet et bleu ciel ? Avec des triangles noirs ? Comme celui-là. Quatre mille six cent vingt-trois mètres !

— Bon, peut-être les Alpes ! admit Sarah. Et celles-là, au milieu. L'Oural (quel drôle de nom). Et sûrement aussi les Rocheuses, mais il doit bien y avoir des routes.

À l'heure du dîner, elle avait trouvé le moyen de franchir tous les obstacles montagneux, par-dessus, par-dessous ou en les contournant. Et une heure plus tard, une méthode à toute épreuve pour amener ses parents à commencer le voyage. (« Je les soûle avec du vin français bon marché. J'achète un gars du coin pour leur donner des indications fausses et puis, quand ils sont allés trop loin pour pouvoir faire demi-tour, je leur explique que c'est pédagogique ! »)

— C'est possible, reconnut alors Safran. La pédagogie, ça pourrait emporter le morceau !

Dehors, la nuit était complètement tombée. La famille abandonna la cuisine au chaos des préparatifs culinaires d'Ève et s'installa dans le salon. Sarah et Safran s'allongèrent sur le tapis, l'atlas entre elles deux et entreprirent de dresser la liste des ferrys en Russie. Caddy et Ève se joignirent bientôt à leur jeu et se mirent à traverser les continents avec un enthousiasme presque aussi grand.

Rose était tranquillement pelotonnée dans un coin du canapé, rêvassant sur son carnet de croquis. Elle n'avait toujours pas montré ce qu'elle avait dessiné. La famille détournait soigneusement le regard, sachant que le moment venu, elle l'offrirait à leur sagacité, quêtant leur surprise ou leur étonnement.

— Tu me prêtes ton crayon, Rosinette ? demanda Sarah.

Rose le lui passa et Sarah traça fermement une ligne noire de la Russie à l'Alaska en traversant le détroit de Bering. Elle la contempla avec plaisir un petit moment.

— Bon, on peut continuer, dit-elle.

— L'Alaska, dit Caddy en regardant par-dessus l'épaule de Sarah. Il doit y avoir des ours magnifiques.

— Ça t'embête si on traîne un peu en chemin pour aller voir des ours magnifiques, Indy ? demanda Sarah.

— Pas du tout, dit Indigo en jetant un coup d'œil sur sa montre.

Durant toute la soirée, il avait été très conscient du temps qui passait. À dix heures, il regarda sa montre une fois de plus. L'avion de Tom était sur le point de décoller.

Indigo alla regarder la nuit sombre et étoilée par la fenêtre dépourvue de rideaux. Il pensait aux avions qu'il voyait tous les jours traverser le ciel, se dirigeant vers l'ouest. Certains d'entre eux allaient sûrement en Amérique.

Rose avait discrètement quitté la pièce. Indigo la vit fouiller le placard de la cuisine, repoussant les pots de confiture. Une minute plus tard, elle se faufila dans le jardin.

Indigo la suivit, fermant doucement la porte derrière lui.

— Rose ? appela-t-il à voix basse, pour ne pas la faire sursauter.

— Je suis là, dit Rose.

Indigo l'aperçut, toute petite, à plat dos sur la pelouse. Elle avait mis ses lunettes.

— Je regarde les étoiles, dit-elle quand il vint s'allonger à côté d'elle. Ces lunettes sont très bien pour les étoiles. J'en vois partout. Des centaines. Combien il y en a, à ton avis ?

— Des milliers et des milliers.

— Celles qui bougent, c'est des avions. Il y en a une qui est peut-être l'avion de Tom.

— Oui.

— Avant, je ne savais pas...

Rose s'interrompit et avala sa salive, continuant courageusement :

— Avant, je ne savais pas qu'elles étaient là. Les étoiles. Mais maintenant, je les vois toutes. Vraiment clairement. Et toi ?

Indigo s'aperçut brusquement qu'il ne les distinguait pas clairement. Pour lui, les étoiles n'étaient que des éclaboussures d'argent, floues, éparpillées dans le ciel.

— Frances ira bien quand il arrivera là-bas, dit Rose.

— Oui, j'en suis sûr.

— Tu crois que Tom aussi, il va bien, Indy ?

— Euh... dit Indigo. J'imagine... Je pense... Là tout de suite, il doit être un peu triste. Comme nous... Mais il va aller bien.

— Tu te souviens quand j'ai eu mes lunettes et que j'ai vu les étoiles pour la première fois ? Et toi t'as dit, avec les étoiles filantes, faut faire un vœu.

— Oui.

— T'as dit que ça marchait aussi avec les avions.

— Oui.

Rose n'en ajouta pas davantage mais Indigo et elle restèrent dehors longtemps, très longtemps, à faire des vœux, à observer les étoiles, celles qui étaient immobiles et celles qui traversaient le ciel avec des lumières vertes et rouges.

Composition JOUVE – 53100 Mayenne
N° 346116v
Imprimé en France par HÉRISSEY - 27000 Évreux
Dépôt imprimeur : 96317 - éditeur n° 45498
32.10.2273.4/01 - ISBN : 2.01.322273.4
Loi n° 49-956 du 16 juillet 1949 sur les publications destinées à la jeunesse
Dépôt légal : juillet 2004